3岁对了，
一辈子就对了

资深儿童心理专家的最省力家教笔记

陈素娟◎著

北京理工大学出版社
BEIJING INSTITUTE OF TECHNOLOGY PRESS

图书在版编目（CIP）数据

3 岁对了，一辈子就对了 / 陈素娟著. —北京：北京理工大学出版社，2012.1（2016.7 重印）

ISBN 978-7-5640-5323-9

Ⅰ.①3… Ⅱ.①陈… Ⅲ.①儿童教育：家庭教育 Ⅳ.①G78

中国版本图书馆 CIP 数据核字（2011）第 246703 号

出版发行 / 北京理工大学出版社
社　　址 / 北京市海淀区中关村南大街 5 号
邮　　编 / 100081
电　　话 / (010)68914775(办公室) 68944990(批销中心) 68911084(读者服务部)
网　　址 / http://www.bitpress.com.cn
经　　销 / 全国各地新华书店
印　　刷 / 三河市金泰源印务有限公司
开　　本 / 700 毫米×1000 毫米　　1/16
印　　张 / 19.25
字　　数 / 250 千字
版　　次 / 2012 年 1 月第 1 版　2016 年 7 月第 11 次印刷　　　责任校对 / 陈玉梅
定　　价 / 29.00 元　　　　　　　　　　　　　　　　　　　　　责任印制 / 边心超

图书出现印装质量问题，本社负责调换

序
3 岁看大，让你的孩子为自己的将来做主

俗语有言："3 岁看大。"意思是，从一个人 3 岁左右的状态就能看到他成年后的状况。这不是谬论。美国一项最新研究显示，人的性格在童年时期的早期就能形成，从几岁的孩子身上可以预测出他成年后的一些行为。

1980 年，英国伦敦精神病学研究所教授卡斯比同伦敦国王学院的精神病学家进行了试验观察，他们的研究对象是当地的 1 000 名 3 岁儿童。测试结果表明，这些孩子分为充满自信、良好适应、沉默寡言、自我约束和坐立不安五大类。到 2003 年，当这些孩子长到 26 岁时，卡斯比等人再次与他们进行了面谈，并且对他们的朋友和亲戚进行了调查，同时作了总结报告。报告上说，从 3 岁幼童的言行就可以预示他们成年后的性格。卡斯比教授指出，一个人对 3 岁之前所经历的事情会像海绵一样吸收。这意味着孩子性格形成和能力培养的关键期就在 3 岁之前，这个阶段的孩子跟随什么样的人，接受什么样的教育，就将会形成相应的性格。和其朝夕相处的成人所说的每一句话，所做的每一个动作都可能会深深地烙在他们的心灵深处。

这个实验报告作为强有力的证据证明了"3 岁看大"的观点，在国际育儿学术界引起了轰动。卡斯比教授还指出，在孩子的幼年成长中，父母和幼儿园老师有着不可忽视的重任。他还认为，

虽然一个人的性格到成年后会随着阅历和各种教育方式的影响而发生改变，但这要看孩子在什么样的环境下成长，若是父母、老师和社会各界人士给予正确的引导，那孩子未来的发展走向就比较乐观，反之亦然。

有一个很好的例子。

1920 年，在印度发现了两个"狼孩"，大的约七八岁，小的两岁左右。牧师辛格将这两个"怪物"带到了村里，送进了当地的一所孤儿院，并给大的取名卡玛拉，小的取名阿玛拉。

为了使这两个"狼孩"学会和适应人类的基本生活方式，辛格牧师夫妇做了种种努力，终未成功。阿玛拉在第 11 个月就死掉了；卡玛拉用了 5 年时间学会了两脚步行，7 年才学会了 45 个单词。卡玛拉一直活到 17 岁，但她直到死时也没有真正学会说话，智力只相当于三四岁的孩子。

这个例子说明，如果错过孩子 3 岁左右的学习关键期，就会影响孩子今后各种能力的发展，造成不可逆转的后果。

3 岁前是孩子脑发育的关键时期，这个时期的幼儿有着强大的学习和吸收能力。美国科学家利用"正电子发射计算体层摄影"技术，对幼儿大脑的发育进行扫描观察，发现孩子在出生之后，由于视、听、触觉接受大量的信号刺激，脑神经细胞之间建立联系的速度远远超出人们的想象。而且研究表明，3 岁以后，大脑的复杂性和丰富性已经基本定型，并且停止了新的信息交流，这时大脑的结构就已经牢固成型。虽然这并不意味着大脑的发育过程已经完全停止，但就如同计算机一样，硬盘已经格式化完毕，就等待编程了。

因此，我们应该及早开发孩子大脑的潜能，但是，如果我们把开发脑潜能理解成背古诗、认生字、算算术等，那么，我们的做法就有失偏颇了，因为这违背了孩子成长的规律，是"拔苗助长"。我们要让孩子多体验、多感受、亲自动手，让孩子与大自然亲密接触。不要怕孩子搞"破坏"、故意捣乱、犯错误，我们要给孩子在错误中成长的机会。

从诸多的科学实验中，我们发现，0~3岁是多方面能力（感知、记忆、思维、个性等）发展的关键期。通过研究发现，3岁左右的孩子学习的关键期有如下几个方面：

2~3岁是计数能力（口头数数、按物点数、按数点物、说出总数）发展的关键期；

2~3岁是学习口头语言的第一个关键期，5岁左右是口头语言发展的第二个关键期；

2.5~3.5岁是教育孩子遵守行为规范的关键期；

3岁左右是培养其独立生活能力的关键期。

孩子到了一定的阶段，不同的敏感期就会接踵而至。我们要细心观察，抓住孩子的敏感期，培养孩子各方面的能力。

有些做父母的很爱孩子，生怕孩子受苦受累，时时处处限制孩子的行动，不让他干这个、动那个；或者嫌孩子做事笨手笨脚，代替他们做一些事情。殊不知，我们在一点点地剥夺孩子成长的权利，扼杀孩子的创造力和自主性。我们可以替孩子做事，但没有办法替孩子生活和成长；我们可以替孩子解决问题，但是没有办法替他们去承担他们应该承担的责任；我们可以替孩子规划未来，但不能替他们憧憬未来。一个没有憧憬和希冀的童年，不能自主地做一些自己喜欢的事情，可能会有一个平庸痛苦的未来。

懂得了这些道理的父母，请让您的孩子为自己的将来做主吧！

目 录
CONTENTS

CHAPTER 03
从被动接受到自主思考，智能发展的加速期

CHAPTER 04
什么都想自己干，主动品质的成就期

CHAPTER 05
小小追随者到自由探索者，体验式学习的培养期

CHAPTER 06
和你想的不一样，卓然个性的定型期

CHAPTER 07
管好他自己，自我管理的萌芽期

--CHAPTER 01--

凡事对着干，
自我意识的塑造期

3 SUI DUI LE YI BEI ZI JIU DUI LE

家里有个 "小魔头"

> 儿童出生时，儿童的意识是混沌的、万物浑然一体的，要从这样一个汪洋大海中脱离出来，是自我分离和发现自我的过程。分离是一个庞大的系统工程。
>
> ——孙瑞雪《捕捉儿童敏感期》

我们常听到年轻的妈妈抱怨，孩子到了两岁多，越来越不好带了。自家的孩子就像是 "大闹天宫" 的 "小魔头"，孩子只要不睡觉，就会天上地下的又跳又蹦。不是骑个小板凳当火车开，就是爬到沙发底下去找不知什么时候丢进去的玩具，要不就爬到爷爷或爸爸的背上，把他们当马骑；再有可能就是用彩笔把雪白的墙涂花，拿着 CD 盘反复地插进 CD 机里，直到把盘划花；家里的水池子是他们的最爱，经常弄得满地是水，浑身透湿；阳台上爷爷种的花可遭了殃，经常被小家伙揪片叶子、掐朵花，爷爷奶奶一批评，他们还不服气，反而偷偷地掐得更多。给孩子洗手、洗脸，如果他不想洗，就给他洗不成，如果硬要给洗，他就咬他自己的手；自己做了 "坏" 事，还不让别人说，一说要么哇哇大哭，躺在地上打滚，要么就大声说 "不" 来反抗。

我们经常纳闷，孩子到底是怎么啦？

◎是什么让孩子成了"小魔头"

孩子从两岁左右开始，就会发现自己同周围的世界是分离的，他们的自我意识就会悄无声息地萌发，他们开始脱离父母的掌控，变得以自我为中心。

随着孩子的自主运用能力越来越强，活动的范围也越来越大，他们身心发展的趋势迅速上升。当他们具备独立行走的能力后，他们就开始挣脱父母的怀抱，憧憬着独"闯"天下。他们的好奇心也越随之越发的强烈，他们会根据自己的偏爱和喜好来决定自己的行动，不愿受父母的约束和控制。随之而来的，他们的反抗行为也日益增多，他们一刻不停地形成自己，排除他物，大声地说出"不"，告诉别人"这是我的"，他们坚定不移地坚持着自己的看法。

在这个时期，孩子的想法非常多，他们想尝试很多东西，他们反抗着父母和大人的看管，独立地去"探索"他未知的、大人认为"幼儿不宜"的角落。在我们大人看来他们就是在搞"破坏"。

◎用爱和宽容对待孩子的"破坏"行为

孩子满屋乱跑，到处"探索"，我们很多年轻的父母本能的反应就是要保护孩子，限制他们的行为，用好话或好东西诱惑孩子，企图转移他们的注意力，有的甚至大声地训斥或用武力"征服"孩子。父母可能不清楚，这样的做法只会伤害孩子敏感的心灵。我们强行让孩子按照我们的想法去做事，其实这是在"奴役"孩子。孩子可能变乖了、安静了，但是，我们却可能亲手"扼杀"了一个爱因斯坦或牛顿。

如果我们能尊重孩子，在保护孩子的前提下，给予充分的自由，或许孩子在我们的爱和包容之下，就能培养出良好的创新能力和探索精神。

爱孩子，就是给他们"当家做主"的机会，认同他们的行为，宽容他们的探索活动。比如，孩子要把新买的玩具跑车拆掉，我们一般会疼惜玩具，把玩具放到孩子够不到的地方。当你看了这本书后，就应该明

白，和孩子的探索精神比起来，一个玩具汽车的价值是微乎其微的。

◎把握时机，因势利导，对孩子的行为进行正确引导

如果我们家的"小魔头"的做法是合理的，比如孩子在墙上画画，可能孩子的绘画敏感期到了，我们就有必要给孩子准备好画纸和画笔，或者把画纸贴到墙上，鼓励孩子在纸上画。

如果"小魔头"的行为预示着他们可能有危险，我们也应该避免当面斥责，因为孩子听不进反面的话，他们会用反抗或者报复来达到自己的目的。如果孩子喜欢摆弄刀具一类的东西，我们可以转移孩子的注意力，可以打开电视看他喜欢的节目，也可以带他出去玩儿，给他一个喜欢的玩具，等等。如果孩子非要去摸暖水壶，或者燃气灶的火，我们可以拿着他的手靠近，当他感到烫时，就会停止这些行为了。

有些"小魔头"很会搞恶作剧，他会一边做"坏"事，一边观察我们的反应，然后等着大人发作，他就会乐得边跑边逗大人。这时候，我们只要当做什么都没看见，他们就会觉得没趣，停止这些破坏行为。

当然，必要的时候，我们还是要学会说"不"。当孩子的行为确实存在很大的危险或者会影响孩子成长的时候，我们一定要说"不"，让孩子学会遵守规则，学会遵从权威。但说"不"的时候，我们一定要考虑到孩子的心理承受能力。

特别提醒：

中国有句俗话叫"3岁看大"，两三岁的孩子正是自我意识形成的时期，也是今后形成健全人格的关键时期，我们一定要有足够的耐心和爱心，宽容地对待孩子的一些"过分"行为。尽量采用温和的方法，给孩子充分的自由发展的机会。一旦我们约束过多，就会限制孩子的正常发展，将来可能会使他形成自卑退缩的人格；如果放任不管，也会让孩子形成目中无人，完全以自我为中心的人格。

保持理性的客观，让孩子自己去判断是非

> 让孩子学会辨别是非，知道什么是不应当的行为。如任性、无理、暴力、不守秩序及妨碍团体的活动都要受到严厉的禁止，逐渐加以根绝，必须耐心地辅导他们，这是维持纪律的基本原则。
>
> ——蒙台梭利

李女士的孩子3岁了，孩子的一些不良表现常气得她火气很旺。她的孩子琳琳解决问题的方式通常是多用手，少用嘴。如果在家里不如他的意，他就又哭又叫，在地上打滚。在幼儿园和小朋友抢玩具，抢不过就用牙咬、用手推、用脚踢。

王女士的孩子清清平时经常说"我讨厌你""臭妈妈"之类的伤害妈妈的话，在幼儿园和小朋友发生矛盾的时候他就说"我打死你"。

最让陈女士头疼的是，她的儿子昭昭学会了说谎，早餐的面包不想吃，就放到书包里，然后告诉妈妈"吃过了"；他不小心碰倒了茶几上的杯子，水洒了一地，他却说"不是我碰的"。

张女士发现，儿子田田刚上幼儿园没几天，回家见到爷爷奶奶就喊"笨蛋"，张女士说他他根本不听。

妈妈总是问，孩子这是怎么啦？

◎孩子为什么没有一点儿是非观念

孩子在自我意识萌发之前，有一个很重要的模仿时期，这是孩子领悟掌握了某种行为，通过不断重复，将其内化成自己的一种能力的时期。但是，周围环境里好的和坏的他们都一起学来了。他们的活动范围小，接触的人除了父母就是幼儿园的老师和小朋友，他们的一些言谈举止、对事物的认识等就是模仿周围人的行为表现。如果我们没有良好的是非观念，没有良好的行为举止，孩子就会从我们身上学到不良的行为。当然，动画片上的一些行为也是儿童模仿的对象，比如男孩子喜欢模仿"奥特曼打怪兽"，他们会把见到的很多人都看做是"怪兽"去打。

两三岁的孩子因为年龄小，辨别是非的能力比较差，很难分辨事情的好坏，再加上这个时期他们的自我意识很强，相应的活动能力也很强，他们会用很多精力努力维护着自我。他们不愿意把属于自己的东西与人分享，或者还不懂得与人分享的道理。他们也难以用恰当的语言和词汇来表达自己的情绪，有时会为了保护自我不被大人批评而说谎，拒绝别人友好的接近，等等。

◎正确对待孩子的一些"不良"行为

我们很多做父母的对待孩子的一些不良行为时，一般的表现就是批评、打骂，我们想让孩子知道自己的做法是错误的。可是，这样的做法不但没有效果，反而会让孩子模仿我们的做法，甚至激起孩子的反抗。所以，要切忌打骂孩子。打骂不仅会伤害孩子的皮肉，重要的是会伤害孩子的心灵，甚至会造成一定的心理问题。

我们要明白孩子一些"不良"行为背后的心理需求，懂得孩子此刻正处于哪种心理敏感期。比如上面的例子中提到张女士的儿子田田从幼儿园回来喊爷爷奶奶"笨蛋"，这是孩子到了"诅咒敏感期"，他们会用一些"强有力"的词来表达自己的意思，他们可能不知道这些词的含义，但说出来，会让他们愉快。

另外，我们要向孩子说明哪些行为是对的，哪些行为是错的，并说明可能造成的后果，并指出防止再犯类似错误的可行性办法。对孩子一些行为要具体分析，哪些行为属于孩子的淘气，哪些属于坏毛病。比如孩子拿着父母的鞋油在自己的布鞋上擦，我们就不能以为是孩子故意捣乱，而是认为他在模仿父母的行为，是自我成长的一个过程。这时候，我们就要告诉孩子鞋油应该用在哪儿，怎么用。

◎保持理性客观，让孩子自己去判断是非

我们首先要自己保持理性，不要以为批评孩子就是教育孩子。其实，我们的一言一行都在为孩子做榜样，在潜移默化地影响着孩子。要想对孩子进行教育，首先要理性地看看自己身上是否有类似的问题。比如，孩子在幼儿园经常推人、踢人，我们就要反思一下，我们在解决家庭问题的时候是不是也有类似的表现。孩子做了错事说谎、不承认，我们也要反思一下，自己在家是不是也喜欢推卸责任，抱怨指责，时常抱怨工作不好，抱怨同事和领导不近人情等。如果我们做父母的洁身自好，理性客观，孩子自己就会学会判断是非。

其实，我们要讲究说话的技巧和艺术。处于第一反抗期的孩子对批评和强硬有明显的抗拒，所以，我们要讲究与孩子沟通的技巧，设身处地地理解孩子。例如，毛毛家的小客人要玩他的玩具汽车，他们抢的时候把玩具拆散了。毛毛大哭不止，还用手打小客人。毛毛妈妈及时制止了毛毛的攻击行为，把他抱在怀里，对他说：

"玩具弄坏了，毛毛很难过，是吗？"

"玩具坏掉了，我难过，我难过！"毛毛在妈妈怀里哭声小了些。

"妈妈知道毛毛难过，毛毛难过……"妈妈嘴里一直说。

毛毛渐渐不哭了，从妈妈怀里起来，开始自己动手装玩具。妈妈也一起帮忙，终于把玩具装好了。

等客人走后，妈妈在和毛毛一起收拾玩具的时候，轻轻地对他说：

"人不是用来打的。"毛毛说："打人是不对的。"

此时孩子已经明白了什么是对的，什么是错的。

特别提醒：

两三岁的孩子辨别是非的能力虽然差，但只要我们理性客观地对待孩子，理解孩子，就一定能让孩子自己去判断是非。父母要记住：情绪处理好了，再指导孩子的行为，让孩子自己学会辨别是非。

让孩子知道哭闹不能左右任何事

> 对待孩子哭闹的做法，我的建议是首先弄懂孩子为什么哭闹。在孩子看似无理取闹的眼泪背后，事实上显露出孩子心中的不安。他们找不到自己想要的东西，这是父母淡忘了孩子内心需求的一个警示。这本是父母的过错，孩子的哭闹正是对大人的提醒和惩罚。这个时候，如果父母冷漠地对待他们，将会刺伤他们稚嫩的心灵，让他们不安的情绪更加恶化。
>
> ——宋柘斌《3岁决定孩子的一生》

孩子经常性地大哭大闹是不是经常让您烦躁不已？尤其是在公共场合的哭闹，会让你内心紧张或是内心产生很大的挫败感？

当孩子哭闹时，我们所能做的，大多是生气、斥责、惩罚，但是，孩子会用更强烈的哭闹来回应我们，他们随时会用哭闹来挑战我们的极限，并努力地争取在和我们的拉锯战中占据上风。孩子每天都会使用大声的喊叫、刺耳的尖叫、撒泼打滚、低声的啜泣等这种强有力的"武器"来对付我们。我们会觉得孩子一哭闹简直就是一场噩梦，经常被孩子哭闹弄得甘拜下风，缴械投降。

周末的晚上，妈妈带着3岁的湘湘去蛋糕店，准备购买第二天的早餐。出发前，妈妈明确地告诉湘湘不可以要这要那。可一进蛋糕店，湘湘就在盛蛋糕的盒子里挑来挑去，找自己喜欢的口味的蛋糕。最后，湘湘挑了一大包放到妈妈的篮子里。妈妈不同意，要求他放回去，湘湘很坚决地说"不"。这令妈妈很恼火，把篮子里的蛋糕一股脑儿地放回盒子里。湘湘大声地哭起来。妈妈一见，赶紧拉湘湘回家。湘湘一屁股坐在地上，继续更大声地哭闹。

在湘湘的哭闹下，妈妈最后只好把湘湘挑的所有蛋糕买回家。

很多父母和湘湘的妈妈一样无助，当孩子在公共场合大声哭闹，吸引了周围人目光的时候，更让我们感到尴尬。在这样的情况下，除了妥协，我们似乎找不到更好的解决问题的办法。

◎了解孩子哭闹的原因

我们很自信地以为，我们很了解孩子的内心世界。其实，孩子才是最善于观察的，他们熟知大人的心理，在第一次哭闹得到他想要的东西之后，孩子便懂得，原来用这个办法就可以达到自己的目的。时间长了，哭闹就成了孩子日常生活的一部分，是他们平时运用自如的能够如愿以偿的法宝，不论在家里还是跟着爸爸妈妈外出，他们都能通过哭闹使自己得逞。

还有的孩子通过不停的哭闹来控制父母，他们学会了哼哼唧唧、低声抽泣，依赖别人，做家中永远的"宝宝"，他们通过控制父母找到自己在家中的位置。哭闹能帮助孩子要到他们想要的，因为他们一哭闹，大人就要哄他们、安慰他们，并要按照他们的要求去做，这让他们觉得自己很强大。对孩子来说，能激怒大人，让他们烦躁并最终屈服是一件很有趣味，也很有成就感的事情。

我们还天真地以为，孩子哭闹就是要点儿东西，没什么大不了的。不要小看孩子的哭闹，这只是孩子施展计谋的第一步，它很可能会升级为顶嘴、争吵和大发脾气，甚至离家出走。

当把哭闹当成达到目的的一种手段，不要说是孩子，就是大人也会持续不断地采用它。当孩子哭闹时，我们必须狠下心来，让他意识到：无论怎么哭闹，都不能左右任何事，都是彻底无效的。

我们以为电视、广告给了孩子很大的诱惑，让我们的教育更加有难度。但父母对孩子的影响和教育是无可替代的，完全可以打败媒体对孩子的消极影响。当孩子因为要一件东西而哭闹时，我们要果断地告诉他："当你哭闹着要这要那时，即使是合理的，我也不会买给你。"当我们持续不断地对孩子灌输这样的教育并付诸实践后，孩子就会慢慢改掉哭闹的习惯。

当孩子在公共场合哭闹时，我们要勇敢地面对周围人的目光，克服气氛的尴尬，不去制止和说教，不要对孩子的行为进行评价和教育，也不要表现得很愤怒，只要坚定地把孩子带回家就可以了。回到家，也不说教，只管去做自己的事，做自己的事，也就是不需要孩子参与进来的事。孩子受到了冷落，就会知道哭闹是解决不了问题的，只能被排除在外。

孩子在家里哭闹，我们应该让他们感觉自己被忽略，不要和他们说话，不仅如此，也不要用眼光和表情等肢体语言和孩子交流。如果我们不和孩子说话，但瞥孩子一眼或者皱一下眉等都会让孩子感觉到我们在关注他，他会因此哭闹得更厉害，以此来加重我们的心理负担，他会凭着我们一点点的表情来判断自己哭闹的表演是否成功。这样下去，哭闹会更加难以纠正。因此，我们必须要一言不发，并且毫无表情地做自己的事情。

特别提醒：

  3岁左右的孩子已经具有很强的自我意识，他们认为哭闹可以左右一些事情并按自己的意愿去做，这是孩子实现自我的手段。我们一方面要肯定孩子的自我要求，另一方面要采取方法纠正孩子哭闹的毛病，让他们用正常的方式去找到自我。

让 "不要" 远离你

> 2~4 岁的儿童，和过去处于依赖状态的儿童不同，由于行走和语言的出现，开始探索世界，要求独立性，要求 "我自己来"。如果此时处处束缚他的手脚，横加限制，就会形成羞怯、疑虑，甚至孤独感和反抗。
>
> ——朱智贤《儿童心理学》

在超市里，3 岁的朵朵在里面跑东跑西，闹得妈妈很是心烦，妈妈大声地训斥她："不要乱跑！"

饭桌上，3 岁半的皮皮总是不好好吃饭，吃几口就去玩他的玩具，无论妈妈怎么说他都不听，爸爸冲皮皮吼道："不要玩了！"

滔滔跟着妈妈出去，过马路的时候淘气的滔滔不好好走人行横道，挣开妈妈的手跑到马路中间去，妈妈急得大喊："不要在马路中间走！"

妈妈在厨房里做饭，小米坐在沙发上边看动画片边吃饼干，爸爸回来看见了，对小米说："不要吃那么多饼干！"

冬天的早晨，爱美的萱萱在衣服外面套上了一件蓬蓬纱的裙子，当她走出来的时候，妈妈大声告诉她："不要这么穿！"

……

两三岁的孩子已经有了很强的自我意识，他们喜欢按照自己的主张去做事，而不喜欢受大人的约束。孩子的"离经叛道"经常惹得大人对他们大吼："不要……"孩子对我们的阻止又是什么态度呢？从父母反反复复说"不要"的情况来看，效果几乎等于零。

我们内心有很多不解：为什么越说"不要"，孩子往往偏"要"呢？

◎了解孩子为什么不听我们的话

3岁孩子的行动已经能够独立，他们凡事力求自己思考、自己判断、自己解决，他们有强烈脱离父母的愿望，不管什么事情，都要自己尝试一下。听到大人说"不要"，就会激起他们的逆反心理和本能的反抗，他们反抗权威、反抗控制、反抗命令，以此来表明自己是一个独立的人，或者通过反抗来引起父母的关注。

还有一个原因，请您现在按照我说的做：请闭上眼睛，听我说，不要想老虎，不要想东北虎，也不要想华南虎，不要想武松打死的那只老虎……当我跟你说"不要想老虎"的时候，你在想什么？是不是在想老虎？当初我在做这个游戏的时候，满脑子想的都是老虎。相信您也是的。这是为什么？是因为我们每个人的潜意识都不接受否定的词汇，越是"不要做"的事情，潜意识越会告诉你"要做"。成人都如此，何况孩子呢？我们的孩子就是这样接受我们的指令，变得越来越不听话的。

◎让"不要"远离孩子，对孩子多说肯定句

每当我们想对孩子说"不要"时，我们先要提醒自己：我这样的说法会有意义和作用吗？然后，态度和蔼、语气坚定地告诉孩子"要……"比如：

我们对着在超市里乱跑的朵朵说："跟在妈妈的手推车后面走。"

对不好好吃饭的皮皮说："好好吃饭，一会儿妈妈收拾了就没饭吃了。"

对不好好走路的滔滔说："跟在妈妈身边，要走人行横道。"

对饭前吃很多饼干的小米说："先去洗洗手，等着妈妈做熟饭就可以吃饭了。"

我们可以多做几个练习，看看在这样的情况下，我们应该如何说才会使孩子听进去。

"不要打小妹妹！"

"不要总是开关电灯！"

"不要爬到窗户上去！"

"不要动，你会把碗摔了！"

如果我们把这些否定句换成肯定句，可以这样说：

"你可以轻轻地摸摸小妹妹。"

"谢谢你帮我们打开电灯，这样我们就能看清了。"

"到这里来玩，这里宽敞多了。"

"小心拿着，轻轻地放到桌子上。"

当然，这些答案只是提供参考，可以根据自己和孩子的不同情况找出很多种不同的说法，让孩子能接受我们的建议。

如果用肯定的语气同孩子说话，就会得到不同于以往的回应，处于第一反抗期的孩子就不会处处和我们作对，他们似乎变得很顺从。这是因为他们的自我意识得到了尊重，我们不是命令、限制他们的行动，而是让他们做他们愿意做的事情。家里也不会再"狼烟四起"，气氛会变得更加平静和谐。改变说话的方式，让"不要"远离我们，会有意想不到的效果。

特别提醒：

有自我意识的孩子，用"不要"制止他们是没有效果的。如果仅仅告诉孩子："你不要做……"他就会感到迷惑和失望，会心生逆反。不如直接告诉他，你可以做什么事情，给他们指明做事的方向。所以，让3岁的孩子知道什么事情是该做的才是最重要的。

你建议，他（她）选择

> 让孩子作选择。不管是多么小的选择，都能给他一种参与感，让他知道大人尊重、考虑、重视他的需求。我们大人都愿意得到这样待遇，孩子也不例外。
>
> ——苏·比弗《3岁孩子总是对着干，妈妈怎么办》

一位心理学家去一所中学就中学生的自主性进行调查。被调查的有150名学生，心理学家问他们："生活和学习上遇到了难题，一时又解决不了，你该怎么办？"令心理学家没有想到的是，这150名学生异口同声地回答："有困难当然找父母解决了。"没有一名学生回答有困难自己解决，实在解决不了的再去求助于父母。当心理学家问他们将来有什么理想或打算从事什么职业时，大约有70%的学生回答："要回家问了父母才能知道。"

作完调查，这位心理学家在总结他的调查结果时，非常忧虑地说，孩子缺乏自主性，对自我意识在选择中的重要性的麻木和轻视，已经是当代一些青少年综合素质中不容忽视的弱项。

我们来看一个事例：

有客人到家里做客，饭桌上，家中3岁的孩子不肯喝牛奶，闹着非要喝大人喝的碳酸饮料。相信大家都见过类似的场面。这个时候，如果是你，你该如何做呢？

你可能因为有客人在，怕难堪，图省事，为了息事宁人，而答应了孩子的要求；也可能哄骗孩子："把牛奶喝了，明天妈妈带你去超市，给你买玩具。"你只是随口说说，并没有打算兑现；你还可能对客人苦笑一下，把孩子带走："这孩子！真不懂事。走，妈妈带你出去玩一会儿。"然后把哭闹的孩子带出去；你还可能训斥孩子："不许喝，小孩就得喝牛奶，别以为有客人在我就迁就你！住嘴！别哭了！再哭我……"你还可能对孩子讲很多道理，告诉孩子牛奶多么有营养，碳酸饮料会影响孩子长身体，等等。

最后，孩子从我们的反应中学到了什么？孩子知道：我没有选择权，大人才能控制我的一切。下面的事例很好地解答了上面的问题。为什么我们的孩子长大之后没有自主选择的能力，凡事都依靠父母去解决呢？

◎了解孩子为什么不能自主选择

在孩子两三岁的时候，他们的自我意识非常强烈，对于很多事情都希望自己做主，不管多么小的选择，都能给他们一种参与感，他们作出了选择，会感到自己受到重视，心理就会获得极大的满足。可是，我们很容易就剥夺了孩子选择的权利。我们给孩子准备好了一切，吃的、喝的、用的、玩的，包括上哪个幼儿园，报什么兴趣班，上哪个小学，上哪个中学，上哪个大学，甚至孩子穿什么颜色的衣服，和什么样的人交朋友我们都要安排好，孩子只能被动地接受。很多做父母的要求孩子从小按照我们自己的人生理想成长，而不考虑孩子本身的兴趣、意愿和基本素质，更不懂得孩子心理发展的规律，不能进入孩子的内心世界，并用自己的决定代替孩子的决定。当孩子有不满情绪时，我们要么用权威，要么对孩子说："我们都是为你好，我们是过来人，比你懂，听我们的，没错。"我们就这样打着"爱的旗号"，无情地把孩子的选择权剥夺了。慢慢地，孩子就失去了选择的能力，凡事依靠父母，或者变得非常叛逆。

另外，我们与孩子沟通不注意方式方法，要么迁就纵容孩子，要么训斥责骂孩子，要么哄骗孩子，要么回避问题，我们的目的就是要孩子"听话"，"听话"就是让孩子听从我们的安排和意愿，这样就导致孩子一次次失去了选择和为自己的选择负责的机会。

◎要明白为什么让孩子选择

在孩子还是婴儿时，他们完全依靠大人去满足自己的需要，当他们慢慢有了自我意识，说出"不"的时候，说明他们已经拥有了自我控制的能力。他们用"不"来脱离和父母的连接，表达自己的喜好。这时候，让孩子学会选择，可以让他们感觉到能掌控自己的事情，培养孩子的独立意识，让他们更快地学会自立，学会为自己的行为负责，自己承担选择的结果。更重要的是，孩子能从选择中得到被尊重的心理满足，这对孩子的健康成长是非常有利的。

◎我们提建议，孩子作选择

接着我们前面提到的事例，我们提到的那几种情况，是我们中国父母与孩子的沟通方式，而这个事例是发生在美国的一个家庭，我们来看看美国父亲是如何做的呢？

父亲说："你喝完了牛奶，可以在我杯子里喝一口饮料。"我们可以看到其中隐含的选择：你可以选择喝完牛奶，然后喝一点儿饮料；你也可以选择不喝完牛奶，但没有饮料喝。孩子很自然地选择了喝完牛奶，避免了父母在客人面前的尴尬。

我们还可以在很多方面给孩子提出建议，让孩子作选择。比如，孩子不爱吃早餐，我们就在早餐前问他："今天早餐是喝牛奶，还是豆浆？"再如，我们要带孩子出门，他在看书，我们就让他作选择："你

是回来再读，还是把书带到车上去读?"又如，孩子去商场买玩具，可以让他选择："给你50块钱，你可以选择你喜欢的玩具。"

无论多小的选择，都会让孩子感受到父母的尊重，让他们觉得自己有能力掌控一些事情。

特别提醒:

我们在为孩子提建议的时候，语言要简单、具体，让孩子理解我们所提供的选择条件，要与孩子的爱好和能力相匹配。如果我们想让孩子的选择符合我们的意愿，就把这个选项放到最后。

引导孩子正确面对和处理自己的情绪

> 幼儿在开始时还无法将自己的情绪用认知和语言表达出来，他们可以用的表达方式就是哭，即用来告诉照顾者发生了什么，也调节了幼儿自己的内在。随着认知和其他生命部分的成长和发展，这部分会越来越美妙，同时孩子也会更加自知。
>
> ——孙瑞雪《完整的成长》

3 岁左右的孩子已经能够体验到讨厌、伤心、抱歉、担忧、害怕、嫉妒等丰富的情绪感受，但他们对情绪的觉察和应对还处于萌芽阶段，当他们遭遇到负面情绪的时候，他们常常不知道如何应对。他们一般采用哭闹、攻击、畏缩等最原始的方式来表达内心的负面情绪。

他们主要有以下几种负面情绪的表达：

两三岁的孩子自我意识很强，他们会以自我为中心，一不顺自己的心意就生气、唱反调，用夸张的方式引起别人的注意，或是表现得很依赖他人。

两三岁的孩子经常会因为内心的需求无法得到满足而用哭闹、攻击、耍赖、撞墙、丢东西、不符合年龄地随地大小便等手段来表达他的不满情绪。

父母都有这样的经验，孩子一生病之后会很不好带，他们常常会发

脾气、烦躁或者精神不振、很黏人；有时会故意捣乱，晚上睡觉磨牙，咬手指、口吃……

孩子在遭遇一些不愉快的事情之后，会出现焦躁、退缩、沮丧的情绪。

因为两三岁孩子的语言表达能力有限，他们不能把内心的情绪感觉准确地表达出来，就会出现上述的表现。

◎了解孩子负面情绪的成因

以自我为中心是孩子心理发展的必经阶段，在这个阶段，他们内心的自我不可侵犯，一旦受到侵扰，因为性格不同，他们表现出来的状态也就不同。外向型的孩子多表现为攻击、引起别人注意，而内向型的孩子多表现为过分依恋家人。有的兄弟之间的嫉妒会令被忽视的孩子用攻击弟弟妹妹或夸张的方式赢得父母的关注，而另一方则更加依恋父母。

愤怒是内心一股强大的力量，有些孩子会借助这股力量达到自己的目的。他们会在生气的时候把平时不敢做的事情都做出来，通过哭闹、打人、耍赖等手段来发泄他们的不满或达到他们的目的。

当两三岁的孩子在身体不舒服或感到有压力的时候，比如，生病、困倦或疲劳、饿了的时候，由于孩子的容忍度较低，会表现出一些负面的情绪。

另外，当孩子有挫败感的时候，比如受到父母的指责，感觉到自己不如小伙伴，或表现不好怕受到批评时，也会表现出不良的情绪。

接纳孩子的负面情绪，就是引导孩子正确地面对自己的情绪。

和成人一样，孩子也会有悲伤、愤怒、无理取闹的时候，我们应该接纳孩子的负面情绪，因为负面情绪所表达出来的是孩子内心需求的不满。如果我们这样对孩子说："你怎么这么不懂事？别闹了。"这等于否认了孩子的负面情绪，孩子就会认为，有情绪是不对的。他们就会慢慢把这些不良情绪压抑起来，压抑过多就可能会形成人格障碍。

其实负面情绪也有它的积极意义。比如害怕让孩子懂得保护自己，羞愧让孩子知道自己做事有欠缺，体验过难过的孩子，会设身处地地理解别人的悲伤。所以，我们不要压抑孩子的情绪表达，应该接纳孩子、理解孩子，有了父母的接纳，孩子就能正确面对自己的情绪，而不是压抑排斥它。

比如孩子的小伙伴想抢他最心爱的玩具，他激动地和小伙伴争抢起来。当孩子向我们哭诉的时候，我们可以这样安慰孩子："小朋友抢你的玩具，你很生气……"先接纳处理孩子的情绪，然后再帮助孩子解决其他问题。

◎如何引导孩子正确处理自己的情绪

当孩子能正确地面对自己的情绪之后，下一步我们要做的就是要引导孩子处理好自己的情绪。我们可以通过三种方式让孩子宣泄情绪。

1.用文字和符号宣泄。最直接的方式就是说出来，如果孩子有情绪，让他直接表达出来，即使我们不能认同，我们也一定要接纳和理解孩子，让孩子感觉到他是被理解的。重要的一点就是当孩子告诉我们他经历的事情之后，让他把感受说出来，孩子就感受到了极大的理解和尊重。鼓励孩子把情绪画出来，我们可以在自己情绪不好的时候示范给孩子。一位妈妈在单位挨了批评，回到家，拿笔在纸上边画边说："今天早晨碰上堵车，迟到了，被领导批评，我很生气……"孩子就会在妈妈的引导下，学会用画画来宣泄自己的情绪。

2.用运动的方式宣泄。负面情绪具有很大的能量，如果不通过合理的渠道宣泄出去，它就会通过"破坏"的方式呈现出来。我们经常见一些孩子搞破坏、踢垃圾桶、摔凳子、打架等。我们可以引导孩子通过运动把能量疏导出来，我们可以带他们去爬山、跑步、踢球，这样既锻炼了身体，又宣泄了情绪。

3.用唱歌的方式宣泄。有一些孩子学会说脏话、骂人，这是他们通

过大声骂人释放内在的情绪。同样用声音，我们可以教孩子大声唱歌，通过唱歌不仅可以宣泄孩子的不良情绪，还能提高孩子的艺术修养。

特别提醒：

处于自我意识敏感期的孩子，他们在与人交往的过程中容易产生不良情绪，父母切记不可训斥孩子或置之不理，要理解并接纳孩子的情绪，然后针对不同情况通过恰当的方式让孩子把心中的情绪宣泄出来。

主动示弱，满足孩子的成长欲

> 好多家长都一定要在自己孩子的面前显示出自己的无所不能，无所不能的家长让孩子失去自己做事、享受成功的机会。做一个懒妈妈绝对是一个明智的选择！
>
> ——兰海《孩子需要什么》

经常听父母抱怨：孩子学习挺好，其他方面也都不错，就是不懂得心疼和体贴父母。

一天，我去同学家串门，聊天的内容全是孩子。她不断地向我诉苦，说她的孩子胆子小、倔犟、任性、懒惰、依赖性强、自私，她的口气里满是无奈，要我帮帮她教育孩子。

又一次，同事向我诉苦，她的儿子上小学二年级，最让她苦恼的是儿子经常挂在嘴边上的一句口头语就是"我才不管呢"，他倒是说到做到，什么都不管，吃饭的时候筷子不摆在桌子上就不知道自己动手拿，有的时候菜上齐了还得催好几遍；早上赖床，叫好多次都不起来，非要等到妈妈大吼几声，这才磨磨蹭蹭地穿衣服；上学的时候书包要帮他准备好，甚至有时还得给他系鞋带；每次爸爸妈妈说什么，他都"嗯"地答应一声，但从不去做。同事说得激动，眼圈都红了。

我从教近20年，亲眼见到孩子们一点点地厌学、懒怠、无责任心、

不知感恩……老师们都感慨：真是一届不如一届。看来这些问题已经成为当今孩子所面临的最严峻的问题。

不止现代，古语说：强将手下无弱兵。又说：虎父无犬子。纵观中国历史，也确有不少像苏洵、苏轼、苏辙一类父子共荣的情况。我们分析，除了良好的家庭熏陶，重要的是良好的家教和家风。在历史上，光是王侯将相后代亡国败家的就有不少。秦始皇创下了一统中国的大好局面，秦二世仅几天就给葬送了；诸葛亮何等得神机妙算，可他的后人却名不见经传；更不要说刘备的儿子后主刘禅"乐不思蜀"了。为什么会有这样的结果？究其原因，往往是"强将"手下出现了"弱兵"，"虎父"教育出了"犬子"。如今也有很多在各行各业成功的人士，为孩子的不争气而苦恼忧虑。

◎了解孩子为什么懒惰、自私，拒绝成长

有句话说："不是孩子懒，是父母太勤奋。"

我们说，不是孩子弱，是父母太强。有些做父母的在事业上奋斗拼搏，充满自信和力量，这样的父母，往往在生活中也是强势的，经常居高临下地指导孩子，在孩子还没做前就急切地告诉孩子该怎么样，不该怎么样，不管孩子能不能理解和接受。这样的父母往往对孩子的期望比较高，希望自己的孩子比其他孩子强，处处求全责备。在强大的父母面前，孩子很容易滋生自卑心理。长此以往，孩子很有可能会形成没有主见、处处依赖父母、遇事退缩、不负责任的性格习惯。他们遇到问题首先想到的就是向父母求助，没有一点儿"虎父"的威风。

还有一个原因是父母太爱孩子了。在日常生活中，父母怕孩子干活累坏了，心疼孩子吃苦，担心孩子把事情办砸，不让孩子自己动手，凡事都由父母亲自来做。在孩子两三岁自我意识很强的时候，父母这样做就会助长孩子形成唯我独尊、完全以自我为中心、骄横霸气的性格特点，他们只为自己考虑，完全不顾别人的感受，不懂得心疼父母、关爱

别人，造成孩子目中无人、眼中无事、手中无活的恶果。我们如此"保护"孩子，生怕孩子有一点儿闪失，一个被"保护"的人，怎么可能去尊重别人、关心别人、帮助别人呢？孩子在我们的保护下形成的品质上的"弱化"，不能不令我们做父母的深思啊！

◎ 主动示弱，满足孩子的成长欲望

每个孩子天生就有很强的成长欲望，弗洛伊德管它叫"生本能"，蒙台梭利叫它"精神胚胎"，无论哪种叫法，孩子都会依照本能和规律成长。如果我们处处表现得无所不能，孩子成长的动力就会被压抑和弱化。所以，我们不妨在孩子面前示弱，告诉孩子："你能帮助妈妈吗？"

比如，带孩子外出，孩子走累了，会说："妈妈，我累了，抱抱我。"这时候我们就可以做出很累的样子说："妈妈也累了，你看腰都直不起了，你能牵着妈妈走吗？"这时候，孩子多半都会勇敢地牵着我们的手回家。

下班回家，孩子通常会迎出来，我们就可以摸着孩子的头，对他说："宝宝，妈妈好累啊！你能帮妈妈拿拖鞋，再倒杯水吗？"孩子的心中很希望能被需要，这是他们内心成长的欲望，当我们示弱、有求于他们的时候，他们会主动地帮助我们。晚上临睡前，我们可以对孩子说："宝宝，妈妈今天很累，你给妈妈讲个故事，好吗？"孩子就会像我们哄他睡觉一样给我们讲故事，哄我们睡觉。当然其间不要忘了对孩子表示感谢，这是对孩子最好的鼓励。

当妈妈遇到烦恼的时候，可以对孩子说："妈妈今天心情不好，宝宝安慰妈妈一下，好吗？"这样能培养孩子关心别人的品质。

我们可以向孩子学习。比如孩子喜欢搭积木，但有时搭不好容易闹脾气，我们就在孩子搭好之后对孩子说："宝宝积木搭得真好，能教一下妈妈吗？"这样会激励孩子主动学习和抵抗挫折的能力。

让孩子帮忙做家务，可以在送孩子去幼儿园的时候，告诉孩子：

"宝宝，你能帮妈妈拎垃圾袋吗?"这样就会培养孩子主动分担家务的好习惯。

特别提醒：

　　两三岁的孩子自我意识很强，他们很渴望得到大人的尊重和需要，来满足他们成长的欲望，我们要根据孩子的能力和自身条件，在适当的时候主动示弱，就可以培养出一个懂事明理的好孩子。

冲动是魔鬼，别和孩子较劲

变较劲为相互对话，你会发现，孩子也不是那么不通情达理。只要你是对的，孩子会改变自己向"左"走的念头，跟随你的脚步，向"右"走。

——成墨初《"零吼叫"成功教子的 66 个秘笈》

过春节的时候，3 岁的逗逗得到一个玩具汽车，他非常喜欢，整天爱不释手。一天晚饭后，妈妈发现逗逗正在摆弄他的玩具汽车，和平常不同的是，这次逗逗正在拆汽车，妈妈立即上去阻止他："还没玩几天，别拆坏了！"逗逗嘴里应着，手里却没有停下来的意思。妈妈一见，伸手要拿走玩具汽车，逗逗大哭，和妈妈抢起来，还把汽车往地上摔。妈妈气坏了，拉过逗逗照着屁股打下去……

丹丹再有一个月就 3 岁了，有一天吃饭的时候，她不仅一口没吃，还将饭菜嚼几口吐得到处都是，弄得桌子上、地上、衣服上、手上一塌糊涂。爸爸警告了她好几次都不管用，最后忍无可忍，把丹丹拽到洗手间，不顾她的哭闹给她换下了吃饭的围嘴，对她吼道："以后不想吃饭就不要吃！"

中国有句俗话说：两三岁的孩子，连狗都嫌。当孩子从一个乖乖躺着的"小天使"变成了一个任性的"小魔头"，开始不听大人的话，开

始捣乱、破坏东西，时不时地撅着嘴喊出"不"……他们这些"恶劣"的行为考验着我们的容忍度，经常为一点点小事和孩子"大战"一场几乎成了家常便饭。每次发火之后，我们都很心疼后悔，我们也懂得"冲动是魔鬼"，但每次事到临头都控制不住要发火。

◎了解孩子爱"较劲"背后的原因

孩子从小到大，要经历好几个阶段。第一个阶段是在两三岁之后，随着孩子自由行走和语言思维能力的发展，孩子的独立性和自我意识也有了很大发展，他们开始尝试去自己获得经验，尝试用自己的动作和力量达到一定的效果。因为孩子的独立行动有明显发展，这个时期的孩子什么事情都想自己做，他们对这个世界充满好奇，强烈地渴望学习新的东西以了解他们所处的世界，在做自己愿意做的事情时，他们很讨厌成人的干涉和帮助。对于大人的阻止，他们会做出反抗的举动。比如第一个例子中逗逗就是在反抗妈妈的干涉，他宁愿摔坏自己心爱的玩具也要维护自我不受侵犯。

◎了解大人为什么爱和孩子"较劲"

由于2岁多的孩子表达能力有限，他们对于自己的感觉很难用语言表述出来，有时候他们表现出来的任性可能因为自身不舒服。比如第二个例子中的丹丹，她之所以把饭吐出来，是因为前两天感冒了，嗓子痛，因咽不下饭才吐出来。而我们只是按照自己的理解和猜测去想问题，按照自己的意愿和标准来要求孩子，不能站在孩子的角度发现问题、解决问题。

也有这样的情况：孩子平时一些表现并没有让我们发火，但有一天，我们正好身体不舒服，或是挨了上级的批评，或者刚在单位和同事闹了矛盾，或者早上上班遇到堵车，直到下午回来气都不顺，或者工作上的事情让自己心烦。这时候，孩子的一些小毛病就会成为我们发泄的导火索，而孩子自然也就成了"替罪的羔羊"。

◎怎样才能不和"反抗期"的孩子较劲

孩子对大人的情绪是非常敏感的。但是，因为孩子的心智发育还不成熟，他们还弄不清楚大人为什么发火，他们并不知道自己到底做错了什么。那么，想想看，我们发火又能起到什么作用呢？

在对孩子发完火之后，我们都会后悔不已，对孩子道歉，或者对着博客"忏悔"，我们很担心孩子会记恨我们，更担心孩子学会我们的应对模式。那么，我们就要未雨绸缪，尽量让自己保持平和的心态，不和"反抗期"的孩子较劲。

孩子自我意识强，脾气很倔。对于这样的孩子，我们要善于利用孩子性格中的积极因素，扬长避短。比如，孩子喜欢拆卸玩具，我们用严厉责骂的手段很难阻止他。我们要了解孩子是由于什么原因拆卸玩具，是好奇心强还是其他的原因。然后我们可以和孩子一起拆，再一起装，为孩子做一个良好的示范，不仅不会有冲突，还能教给孩子科学知识。

如果孩子遇到问题时任性、发脾气，我们要接纳孩子的坏情绪，等他发泄完了，我们再引导他解决问题。比如孩子为一直搭不好积木而发脾气，等孩子平静下来，我们和孩子一起参与，对孩子不断进行鼓励，孩子的自信心被激发起来，就能克服急躁、任性的不良个性了。

如果您的孩子出现了同丹丹一样的问题，一定要弄清原因，不能盲目发脾气，错怪孩子，以免伤害孩子幼小的心灵。

特别提醒：

冲动是魔鬼，因为愤怒是双方的，我们接受信息和理解信息都会变得偏颇。面对孩子，我们首先要处理自己的情绪，然后再调节孩子的情绪。别跟孩子"较劲"，让我们的家庭关系更和谐，让孩子更加健康地成长。

换个角度，想想孩子为什么要反抗

顽皮的男孩好，顽皮的女孩好。其实每一个孩子虽然顽皮，但都有其可爱的一面。就算是平时调皮得让你有些头疼的孩子，有时也会让你对他刮目相看。

——冰心

在一个心理论坛里，一位妈妈提出了自己心中的疑问：

孩子还不会走的时候，比较乖。到了两三岁，就开始不听话，大人说什么，他都说"不"。比如，最让我们挠头的是他不好好吃饭，一会儿要自己拿勺子吃，一会儿又要大人喂着吃。要是管管他，他就很强烈地反抗。请问，为什么孩子到了这个时候就会与大人"对抗"呢？

我们做父母的通常都有这样的发现：家里突然就有了一个喜欢与我们对着干的小人儿，3岁左右的小孩，挺着小胸脯，撅着小嘴巴，大声地说着"不"，既倔犟又骄傲地站在那里，捍卫着他们自己愿意去做的芝麻小事。他们执拗地坚持着，大人一点点的干涉都会被认为是侵犯，有时候甚至用踢人、打人的方式维护着自己的"权益"。

这个让我们哭笑不得的小人儿就是我们家里的"造反派"，针对"造反派"的种种"恶劣"表现，我们通常是"是可忍，孰不可忍"，收起最后一点儿耐心，对孩子大吼大叫。孩子当然也不示弱，虽然个子比我们小好几倍，但依然不屈不挠，进行着"殊死"反抗。

这样的场景隔几天就会上演一次，为什么会如此频繁上演呢？

◎了解孩子为什么会反抗

孩子反抗的主要原因是我们上面提到的，3 岁的孩子身体活动能力已经较强，他们愿意扩大活动的范围，在好奇心驱使下，他们不断尝试独立完成新的任务，如果这时候遭遇阻碍，他们就要无畏地进行反抗。

其次，是孩子自我意识的发展。3 岁的孩子已经很清楚地知道哪些是"我"想做的，哪些是让"我"做的。因此，他们很顽强地表达自己的意志，但这种表现往往违背大人制定的规范，孩子体验到巨大的挫败感，就会产生反抗行为。

还有一个原因是，3 岁孩子心智发育还不成熟，他们的情绪控制能力还比较弱。他们一旦感到自己的内心需求没有得到满足，就会用很直接的方式，比如哭闹，甚至攻击的方式表现出来，我们大人往往就认为孩子是故意作对。其实，他们只是忠于自己的想法，并不是针对某个人，但如果他反抗的那个人是平时对他言听计从的人，他的反抗自然会加重。两三岁的孩子思维水平还不高，也不够灵活，他们的做法常常让我们觉得"死心眼"，再加上他们的时间观念不强，做事情的忍耐度不高，凡是想做的就想立刻去完成，达不到目的就会导致孩子的反抗。

◎换个角度看"反抗"

任何事情都会有积极和消极两方面的意义。我们要换个角度，看到孩子"反抗"背后的积极意义。

首先，我们要明白，家有"造反派"是很正常的。3 岁左右的孩子都会出现持续半年至一年的"反抗期"，而这也是儿童心理发展的一个必经阶段。如果 3 岁左右的孩子不出现反抗期反而是不正常的。曾有专家作过这样的研究：将 2~5 岁的幼儿分成两组，一组反抗性较强，另一

组反抗性较弱。结果发现，反抗性较强的幼儿中，有80%的幼儿在长大以后独立判断能力较强；反抗性较弱的幼儿中，只有24%长大以后能够自我行事，但是独立判断事情的能力仍比较弱，常常依赖他人。因此，专家认为，反抗行为有时候意味着孩子有其独立自主的想法，不受干预也不受支配，这正是孩子发展判断力的良好时机，值得父母重视。若一味要求孩子服从你，那么他的判断力自然就难以发展。

对于两三岁的孩子，我们要突破传统的束缚，勇敢地接纳和理解孩子，容许他们有反对我们的做法。当孩子出现反抗行为之后，我们在内心要告诉自己：孩子的反抗只是表达他自己的一种方式而已。这时候我们就会放下所谓的权威和虚荣，接纳孩子的想法和行为了。因此，对于孩子颇让我们挠头的"反抗期"，我们的教养和态度直接影响到孩子将来的人格品质的养成。我们要做到以下几点：

尊重、理解孩子。对孩子的行为不横加干涉；不用命令的口气和孩子说话，给孩子提出良好的建议，并让他们作出选择，让他们有做主的机会。只有维护了孩子的自尊，孩子才不会和我们反抗到底。另外，要相信孩子，对孩子提出的合理要求要适当满足。只要孩子愿意自己去做而他的能力又允许的话，我们一定要让孩子亲自去尝试。只要他们提出的要求不超越我们的原则，就尽力去满足他。比如，孩子要洗碗，虽然我们知道孩子洗不干净，也要交给他做，当然必要的时候可以做一些提醒和示范。

特别提醒：

对两三岁的孩子来说，"我自己""我不"是他们独立的宣言。我们要顺势而为，但不要过分娇惯孩子，要心平气和地和他们交谈，对于他们不合理的要求，要设法转移他们的注意力。如果劝说无效，我们就要明确我们的态度，告诉孩子：不合理的要求，即使再闹也不会达到目的。

自我意识越强的孩子反抗性越强

> 人格发展到第二阶段（2~4岁），儿童会面临自主感对羞怯或疑虑的心理社会危机。这个时期的发展任务是活的自主感，克服羞怯和疑虑，体验意志的实现。这时儿童想做一些事情，如果父母和看管他的人承认并允许他们去做力所能及的事，儿童就觉得自己有一种控制能力或影响环境的能力，就会出现一种自主感；反之，如果大人不耐烦或过分溺爱而干预孩子做自己能做的事，或对儿童意外出现的事情采取粗暴的态度，孩子就会产生一种羞耻感，对自己的能力有所怀疑。
>
> ——埃里克森《人格心理学导论》

一位妈妈在网上求助：

我女儿2岁零9个月了，聪明可爱。我发现她是个急性子，干什么事不立刻达到她的目的就大发脾气，而且脾气特别拧，从来听不进大人的劝，自己特别有主意，就爱跟大人唱反调。大人教她怎么做她从来不听，要是急了或哭闹的时候更是听不进，最后非逼得大人妥协不可。而且她哭闹起来没完没了，本来转移了注意力，可一想起来就又哭个没完。真愁死了！

这位妈妈的遭遇可不是偶然，很多3岁宝宝的妈妈大都在经历相似的事情，有相似的苦恼。3岁左右的孩子每周发一次至两次脾气是常有的事，有的孩子甚至达到每天几次，真是每天一小哭，隔天一大哭，搞得爸爸妈妈都乱了方寸。有时孩子自己在家还好些，家里要是来了客人或去别人家做客，他们就会变得肆无忌惮，稍不如意就大闹一场，搞得大人一点儿面子都没有。妈妈都不敢带孩子去公共场合，要是孩子闹起来，甚至会造成"交通堵塞"。这话说起来似乎有些严重，其实，妈妈的心里对孩子的反抗行为深有体会，有的妈妈甚至都后悔生出这样一个"小魔头"。这些妈妈非常羡慕那些乖巧听话孩子的妈妈，她们都非常疑惑：怎么人家的孩子就不哭不闹，那么听话呢？

◎自我意识越强的孩子反抗性越强

孩子出现强烈的反抗，这不仅不是坏事，而且对孩子的心理和人格发展是有很大的积极作用的。

美国心理学家利伯特曾做过一项心理实验，在3~5岁的儿童中挑选100名反抗性强和100名几乎没有什么反抗行为的孩子进行追踪调查。结果发现：在反抗性强的100名儿童中，有80多人在生活中表现得有主见，独立分析、解决问题的能力强，意志力顽强；而在另外100名儿童中，仅有25名孩子具有这些优点。

也就是说，越是反抗性强的孩子，他们在将来越是能发展成人格健全的人。反之，反抗弱或者没有反抗的孩子发展成平庸人的可能性就比较大。

根据埃里克森的观点，儿童在2岁到三四岁期间，正面临"自主对羞怯、怀疑"的心理和社会危机。一方面，这个阶段儿童的自我意识开始萌芽、发展，对很多事情开始不愿意接受大人的支配和控制，喜欢按自己的意愿去做，以试验或显示自己控制环境的能力，从而产生自主感；另一方面，儿童又本能地觉得依赖过多而感到羞怯，同时担心超出自身和环境的范围，自身受到威胁，由此而感到疑虑。所以，两三岁的孩子所反映出来的"我不要"或"我就要"，其实是一种自我意愿的表达和企图独立自主的探索。通过这个过程，儿童可以在独立行动中体验到愉快、成功的经验，形成自信心。反之，可能就会对其能力感到怀疑或羞怯，产生自卑的心理。

◎用什么心态对待反抗性强的孩子

我们应该以身作则，切记不要发脾气。父母是孩子的榜样，很多时候，孩子的坏脾气是从爸爸妈妈那里学来的。我们要从心里接受"越是自我意识强的孩子反抗性越强"的观念，万不可用"以暴制暴"的方式对付孩子，如果那样，孩子就不能学会正确处理自己的情绪，而是用攻击的方式来表达自己的意愿，这是非常危险的。我们要为孩子营造一个良好的家庭氛围，为孩子做好榜样，教给孩子正确应对的方式。

我们要无条件地尊重、接纳、理解孩子。尊重孩子作为一个人应该享有的维护自我的权利，不把自己的意志强加给孩子。如果想让孩子怎么做，就用商量的口气让孩子做出选择，让他们充分体验到自己做主的感觉，帮助孩子建立自信和自尊。对于反抗比较强烈的孩子，我们要有足够的耐心，先让自己冷静下来，不要急躁，即使孩子做了超出我们忍耐度的事情，我们也要无条件地接纳孩子，然后再想办法引导孩子。

特别提醒：

自我意识越强的孩子反抗性越强，将来孩子的自主性和独立性也越强。我们只需要给自己和孩子一些时间和空间，等孩子慢慢长大。

孩子能坚定地坚持自己的想法未必是坏事

成人与孩子最本质的区别，就是孩子的思维与成人的思维存在质的不同。孩子有自己的思维习惯、方式、逻辑，当成人以自己的思维方法做出结论，而以自己的标准来训斥孩子，这是不尊重孩子，扼杀孩子天性的愚蠢做法。

——皮亚杰

经常有家长反映，自己的孩子如何如何不听话，为了一件小事非坚持到底不可，有时候甚至哭闹一个多小时，最后非要父母妥协才罢休。

很多妈妈在网上发帖求助，诉说自己3岁的孩子脾气拧，不管是好事坏事非要依他不可，不然就大声哭闹。

一次，我去幼儿园作调查，一位幼儿园老师向我讲述了这样一件事。

有一个叫星星的小朋友，一天早晨来找老师，他看起来很委屈，眼里含着泪。在星星断断续续的讲述中，老师明白了，早晨出门的时候，他要戴红色的帽子，妈妈非要他戴蓝色的帽子，结果倔犟的星星和妈妈大闹一场。因为力气小，星星终于没有拧过妈妈，带着蓝色的帽子来到幼儿园。这位老师说："在大人眼里根本不值一提的事情，在孩子眼里却是大问题。大人可能想得很周全，衣服颜色要搭配，天气不好等原因都考虑进去，可就是忽视了孩子的想法。"

◎了解孩子为什么喜欢坚持自己的想法

孩子在两三岁的时候进入"第一反抗期"，过去老实乖巧的孩子，逐渐变得任性、脾气拧、爱反抗。其实，孩子不是没有道理地反抗，他们是在坚持自己的主张，如果孩子的主张能够实现，对孩子的自我意识的确有着非常重要的作用。

只要我们经过仔细观察就会发现，孩子在很多小事上一直在坚持自己的想法，比如自己穿鞋，不要大人帮；自己吃饭，不要大人喂；自己走路，不要大人抱；自己玩的时候不要大人打扰；自己的东西保护得严严实实；等等。语言表达能力好的孩子会说"我自己穿鞋""我自己吃饭""我自己走""这是我的"等，而表达能力欠佳的孩子会说"不要""自己做"来表达自己的主张和想法。

孩子到了2岁以后，会进入情感发展时期，他们有了很强的自我意识，具有独立作选择不愿意被干涉的冲动。他们的语言发展还不完善，只会把喜怒哀乐用行动表达出来，经常违拗大人自己做主，比如天冷了还要穿裙子，出门不要戴帽子，大热天要穿厚衣服，不吃妈妈辛苦做的饭菜，等等。

◎孩子坚定地坚持自己的想法未必是坏事

我们前面已经多次提到，自我意识强的孩子将来有很大机会发展成有主见、独立性强的人。孩子坚定地坚持自己的想法，就是自我意识在支配孩子的思想和行为。

信息产业的执行官和计算机科学的研究者李开复博士曾经有一段很难忘的经历。

李开复博士开始做博士论文时，选题与导师的意见不一致，他发现导师让他用专家系统做语音识别是行不通的，于是他鼓足勇气向导师说明情况。导师给他的回答让他铭记一生，导师说："我不同意你，但我支持你！"如果我们做父母的能像李开复的导师那样，允许并培养孩子从不同的观点去看问题，摒弃那种非黑即白的思维方式，一定会培养出孩子独立思考的能力，并将这种能力变成一种习惯，从而受益终生。

如果我们认为孩子坚定地坚持自己的想法未必是坏事，也有可能把我们的孩子培养成"李开复"。

对待孩子的坚持，我们要端正态度。

有专家说，中国家庭有"双重标准"。

当我们大人坚持自己观点的时候，我们将这叫"个性""有主见"；当一个孩子坚持自己想法的时候，我们管这叫"不听话""任性"。当我们大人生气了，可以打骂孩子；当孩子生气了，可能会被大人打骂一顿。我们总是习惯用大人的思维和标准来要求孩子，往往容易误会孩子。

我在一本杂志上看到这样一个故事：

一天，美国著名主持人林克莱特访问一名小朋友，问他："你长大了想当什么呀？"小朋友天真地回答："我要当飞机驾驶员！"林克莱特接着问："如果有一天，你的飞机飞到太平洋上空，所有引擎都熄火了，你会怎么办？"小朋友想了想说："我先告诉飞机上的人系好安全带，然后我挂上我的降落伞，先跳下去。"

当现场的观众笑得东倒西歪时，林克莱特继续注视着孩子，没想到，孩子的两行热泪夺眶而出，使林克莱特发觉这孩子的悲悯之情远非笔墨所能形容。于是林克莱特问他："你为什么要这么做？"小孩子的回答透露出一个孩子的真挚想法："我要去拿燃料，我还要回来！我还要回来！"

所以，我们要耐心、平和地倾听孩子的内心想法，不要着急地下结论，不要急着训斥、打骂孩子。要站在孩子的角度来考虑，比如上面的例子中孩子要戴蓝色的帽子，如果不是原则性的问题，我们就可以尊重孩子的想法。这样，孩子的自我需求得到满足，就能产生足够的自信对周围的一切发表自己的意见和想法。

特别提醒：

对两三岁的孩子坚持自己的想法，不要一味地与之争执，想让他们按照我们的意愿行事。我们一定要站在孩子的角度去理解孩子的内心和思维方式，引导他们表达出自己的想法，在不违背原则的情况下，让孩子按照自己的想法去做，就会培养出一个有主见、独立性强的孩子。

夸奖是世界上最美的语言

教育孩子的全部秘密在于相信孩子和解放孩子。而相信孩子，解放孩子，首先就要学会夸奖孩子，没有夸奖就没有教育。

——陶行知

3 岁的刚刚长得胖乎乎的，平时他很少参加集体活动，小朋友和老师一起玩老鹰抓小鸡的游戏，他也只是站在一边看着。他不仅在幼儿园沉默寡言，回到家也不爱说不爱动。原来刚刚说话晚，和小朋友比起来，他说话也不清楚，有时着急了还结巴，而且因为长得胖，小朋友常常笑话他，不叫他刚刚，管他叫"笨笨"。刚刚觉得自己又胖又笨，非常自卑，性格越来越孤僻。

依依是一个爱哭的 3 岁女孩，遇到一点儿事情都会大哭。在幼儿园里，小朋友叫她"爱哭鬼"。后来，依依说什么也不上幼儿园了，一提上幼儿园就又大哭起来。

妈妈很是担心，孩子怎么会变得这么脆弱了？

◎了解孩子为什么会脆弱、退缩

美国社会心理学家库利通过试验提出了"镜像自我"理论。他认为，每个人对自己的意识是在与他人交往过程中，根据他人对自己的看法和评价而发展起来的，这个过程在人的一生中一直进行着。库利将之形象地比喻为：将他人看做一面镜子，从这面镜子中可以照出我们自己的样子，而我们从镜子中看到的那个样子就构成了我们的自我。

3岁左右的孩子是自我意识形成的时期，他们对自己的认识最容易受他人评价的影响。就像我们上面提到的两个例子，刚刚和依依就是因为别的小朋友对自己的不良评价而变得孤僻、胆怯，害怕与人交往的。

因为一个人在幼小的成长阶段形成的自我认识和个性，会影响到他未来的生活、学习、事业、婚姻、家庭和社会等各方面的发展。因此，如果一直发展下去，对于自我意识萌芽状态的孩子是非常不利的。

◎夸奖有利于培养孩子的自我意识

日本有一儿童教育学家的一项研究曾引起许多教育人士关注。研究表明，孩子经常受到家长夸奖和很少受到家长夸奖的，其成才率前者比后者要高5倍。

3岁左右的孩子处于情感发展时期，他们逐渐培养起调节自己情感的能力，渴望通过自己的能力证明自己拥有掌控环境的能力；同时他们又对自己的行动不够自信。这时候，如果我们在孩子应用这些技能时给予积极的评价，适当地夸奖孩子，孩子的自我意识就会大大增强，自信心也会随之提高。

3岁孩子的自尊心也开始发展，他们会通过各种各样的方式展示自己，比如自己吃饭、替妈妈做事，希望通过这些得到成人的肯定和表扬。孩子受到表扬后会非常高兴，自尊心受到极大的激发，行动力就会显著增强，让孩子体验到成功的感觉，更有利于培养孩子的自我意识。

◎如何夸奖孩子才恰当

夸奖也会有负面影响，如果我们只是一味地、笼统地夸奖"你真厉害""你真棒""你真聪明"，就会让思维还不成熟的孩子形成一种错觉，认为自己做什么都很厉害，是无所不能的。等孩子长大，慢慢进入小学、中学、大学和社会中，就会常常产生挫败感；也容易让孩子过分依赖外界的赞美，长大后他也努力争取博得别人的夸奖，一旦得不到就无法接受，难以形成正确的自我意识。

那么，怎么夸奖才恰当呢？

夸奖要注意时间，只夸第一次。比如，我们下班回来，孩子第一次为我们拿拖鞋，就应该认真地夸奖。以后孩子再拿拖鞋，我们只说声"谢谢"就足够了。当孩子专注于自己感兴趣的事情时，我们不必夸奖，因为他们本身就有强烈的内在动机，过多的夸奖反而会削弱他们的内在动机。

夸奖时要把事情描述出来，不要过多评价。比如，孩子帮我们做了家务，我们就可以这样夸孩子："你摆好了筷子，拿了碗，拉好了凳子，你做了力所能及的事，妈妈很高兴。"这样的夸奖会让孩子关注自己所做的事情，而不只是放在别人的评价上，同时体验到做事的成功感，这就促进了孩子对自我的认识和积极评价。

夸奖孩子时以鼓励为主，还要指出孩子努力的方向。夸奖重在结果，鼓励重在过程，而且鼓励要为孩子指出未来努力的方向。比如，迪迪喜欢画画，拿着画好的画给妈妈看，妈妈鼓励他说："迪迪画的整体结构很好，下次如果多用几种颜色，就不一样了。"孩子得到了夸奖，还知道了下次多用几种颜色，这比直接指出缺点更容易让孩子接受。

特别提醒：

能培养孩子的自我意识的夸奖才是世界上最美的语言。夸奖孩子要做到：夸具体不夸表面；夸过程不夸结果；夸努力不夸聪明；夸事实不夸人格。夸奖要恰如其分，不是越多越好。

--CHAPTER 02--

渴望交到好朋友，
社交与情感的黄金期

3 SUI DUI LE YI BEI ZI JIU DUI LE

尊重和关爱孩子假想中的朋友

和一个想象中的玩伴玩耍，可以使孩子不断尝试使用新学会的语言和社会技巧，这是一种用来减轻孩子内心孤独感受的好办法。而且孩子在和假想朋友的交往中，他一会儿要扮演那个朋友，一会儿又要做回自己，通过两个角色之间不断地扮演和转换，孩子最终会巩固他心灵中的不同方面，形成较为稳定的个性。

——《现代育儿报》

兜兜妈妈准备好了晚饭，一家人准备吃饭了。妈妈端完最后一盘菜准备坐在兜兜旁边的椅子上，兜兜突然大叫一声："不要坐在毛毛身上！"妈妈赶紧起身，兜兜接着说："妈妈，让毛毛和我们一起吃饭好吗？它也饿了。"妈妈这才发现椅子上躺着一只小毛毛熊。

3岁半的林林最近几天总是告诉他的爸爸妈妈，他新交了一个叫"小蜜蜂"的朋友。他总是提醒爸爸妈妈不要踩到他的小蜜蜂朋友，不要不小心把他的朋友关到大门外。甚至全家一起吃饭的时候，林林也特意给小蜜蜂准备一个座位，还把他的玩具碗筷摆上。吃饭的时候，林林会告诉爸爸妈妈小蜜蜂喜欢吃什么。爸爸妈妈很担心，怕有蜜蜂蛰到孩子，后来慢慢发现，林林的朋友是一只很像蜜蜂的小飞虫。

在孩子3岁左右的时候，有些孩子会假想出一个或几个小伙伴，这些伙伴可能是一个布娃娃、一只小动物、一个小枕头。他们会和这些小伙伴说话、玩耍，喂它吃饭，给它打针吃药，这些朋友会在很长一段时间陪着他们。孩子也会带着自己的假想朋友参加各种活动。他们会要求父母像接纳真人朋友那样接纳他的假想朋友。

我们很多父母都会感到担忧，我们的孩子怎么无中生有地制造了一些假想的朋友呢？难道孩子分不清现实的人和虚幻的人吗？孩子怎么会对着空气说话？这是一种病态吗？

◎了解孩子为什么会有假想的朋友

在我们的生活中，经常会听见孩子在小声地嘟囔着什么，似乎在对谁说话，有的孩子还会给这个并不存在的伙伴留出吃饭睡觉的位置，这种由孩子想象出来的伙伴就是所谓的"假想伙伴"。

孩子为什么会有假想朋友呢？

由于在现实交往中的需要得不到满足，孩子就可能会创造出自己假想出来的伙伴。有国外的专家调查发现，有想象伙伴的儿童多数是父母的第一个孩子，而且与不具有想象伙伴的儿童相比，朋友数量和每天与朋友、兄弟姐妹在一起的时间都相对较少。儿童爱玩的天性使得他们迫切需要一个玩伴，因此出现了假想伙伴。在中国，独生子女家庭的增多让孩子失去了生活中的玩伴，很容易出现这样的现象。

也可能由于孩子在生活中体验到比较多的不良情绪。曾经有心理专家对具有假想伙伴的儿童进行特殊系统评估后发现，具有想象伙伴的儿童在生活中较多地体验到不良情绪，更容易经历挫折和失败。因而每当生活中出现一些强烈的情感体验时，如孩子感到委屈、害怕、不安、孤单或者无助的时候，也就是他开始寻找和创造那个假想伙伴的时候了，孩子往往会对这样一个伙伴产生特殊的情感依赖。

有假想的朋友对孩子来说是正常的、健康的，不会影响孩子在现实生活中的成长。孩子创造出的假想朋友不仅是孩子理想的玩伴，同时还是孩子的发泄对象、保护神、陪伴者，而且孩子在与假想朋友的交往中，一会儿扮演自己，一会儿又扮演朋友，通过角色之间的扮演和转换，孩子就能学会现实中的各种技能，最终巩固孩子心灵中的不同方面，形成较为稳定的个性。

◎尊重和关爱孩子假想中的朋友

当孩子有了假想朋友，我们该怎么办呢？是斥责干涉，还是尊重理解，并和孩子一起关爱他的假想朋友呢？明智的父母一定会选择第二种。

即使尊重关爱孩子假想的朋友，我们也要做得适度。

如果孩子邀请我们参与，我们适当扮演一个角色也是可以的，但不可过分热情主动地参与其中，那样可能就会让孩子觉得自己失去了对假想朋友的控制。给予孩子假想朋友适度的关爱，否则有可能让孩子难以分清现实和想象。

我们要恰当地对待孩子看似"不合理"的要求，比如我们上面提到的例子中，兜兜不让妈妈坐在"毛毛"身上，还让妈妈允许他的朋友吃饭，孩子的这些做法我们都可以尊重。但如果家里人多，妈妈腾了地方就得站着吃饭，这时就得告诉孩子："我知道毛毛饿了也需要吃饭，但咱们家人多，已经没地方坐了，它必须坐别的地方。"

特别提醒：

　　3 岁左右的孩子有了自己的假想朋友，是因为他们有了人际交往的欲望，我们应该尊重孩子的做法。另外，我们要反省自己是否忽略了孩子，应多抽出时间来陪陪孩子，帮助孩子寻找现实中的朋友，让孩子拥有一个幸福快乐的童年。

引导协作游戏，但要掌握时间

"游戏是儿童知识的源泉，也是儿童成长中的朋友。"同时，游戏是幼儿不可缺少的精神食粮，所以孩子们在成长中不能没有游戏的陪伴。游戏潜移默化地塑造着我们下一代的优秀小公民，父母和儿童教育工作者利用游戏启迪孩子，用有趣的游戏同他们快乐地玩耍，在不知不觉和循序渐进中促进身心健康成长。

——区慕洁《百万智测：3~6 岁亲子教学游戏》

蕊蕊 3 岁半了，她在和别的小朋友一起玩的时候，特别喜欢要求别人按照她的意思去做。如果别的小朋友不合作，她就一遍遍地说，别人要是不同意，她就表现得很生气。妈妈要是在旁边，她就会闹得更厉害。妈妈总是给她讲道理，告诉她要和小朋友合作，玩是为了高兴，不是为了生气，她答应得好好的，可一转脸就忘了。

优优是一个 2 岁零 10 个月的男孩，他各个方面的发育都非常好，就是和同龄的小朋友玩不到一块儿。即使在一起玩一会儿，也会因为两个人同玩一个玩具而争抢、打闹。一次，邻居小弟弟来他家玩，刚好好玩了几分钟，就因为争抢一辆玩具汽车而闹得不欢而散。

对于蕊蕊和优优这样的孩子，父母很是苦恼：为什么孩子不会好好玩呢？

◎了解孩子为什么不能协作游戏

我们要懂得孩子身心发展的基本规律，否则，过多的指责和批评就会压抑孩子的天性，拖孩子成长的后腿。美国学者帕顿从儿童社会行为发展的角度，把游戏分为以下六种：

①无所用心的偶然行为。主要指幼儿对突然发生的行为感兴趣，摆弄身体，爬上爬下，到处乱转；②旁观行为。看别人玩，听别人说，向别人提问题，自己不参与其他儿童的游戏，但对所发生的事情心中有数；③独自游戏。一个人玩玩具，不管别人做什么，只关注自己的活动，没有做出与其他幼儿接近的表现，一个人乐在其中；④平行游戏。仍然是独自玩，但是玩的玩具和周围的儿童的玩具类似，在同伴的旁边玩，而不是和同伴一起玩；⑤联合游戏。和其他幼儿一起玩，但只做自己愿意做的事情，兴趣还是以自我为中心，对集体不感兴趣；⑥合作游戏。以集体共同目标为中心，在游戏中相互合作并努力达到目标，有明确的分工、合作和规则意识。

一般情况下，2岁左右的孩子以独立游戏、平行游戏为主，出现一些联合游戏的行为；三四岁左右的幼儿主要以平行游戏和联合游戏为主，表现出一些合作游戏的行为。当然，其他游戏方式在很多情况下是同时存在的。

很多父母会这样教训他们的孩子："你都这么大了，还不知道让着弟弟妹妹。"我们以为，三四岁的孩子应该懂得和别人一起玩。可是，我们真的高估了孩子，并不是所有的孩子到了三四岁，就突然能变得很大度，懂得谦让；他们为了和小朋友一起玩就必须先学会协作。这个时期的孩子更多的是以自己的兴趣为中心，很少顾及别人的感受，所以会有玩不到一起的状况。

当然，家里娇生惯养导致自我意识比较强的孩子可能一辈子都学不会与人合作，那么他将注定一生孤独无伴。

◎引导协作游戏，但要掌握时间

与人合作的孩子将会在以后获得更大的成功。为了更好地让孩子从联合游戏过渡到合作游戏，我们有必要引导孩子协作游戏。

这样的游戏可以在家里，孩子和妈妈一起来练习，但要注意掌握时间，因为3岁左右的孩子是没有时间概念的，他们会因为对一件事情感兴趣而不能控制自己。所以，在玩之前先要和孩子"约法三章"：玩到几点，或长指针指到哪个数字的时候，最好不说"玩到9点"。

如果想锻炼孩子的身体，我们就可以采用一些体育类的游戏。比如一起滚球、扔球；自己做袋鼠妈妈，他做袋鼠宝宝，一起靠着往前跳；手拉手做拉锯游戏等。

我们还可以把结构性游戏与社会性游戏相结合，培养孩子的协作能力，比如搭城堡。准备许多各种各样的小纸盒，妈妈提前用大小不等的蛋糕盒子搭成一个3层的台子，然后给孩子提供胶水、彩色纸、颜料、胶带等工具，让孩子搭城堡上的各种房子。不要限制宝宝是怎样搭的。

还可以让孩子玩一些搭积木、拼图等需要协作的活动，或者玩一些适合儿童的趣味体育活动。

不管在家里还是外面，我们都可以引导孩子参与更多的协作游戏，并提前提醒孩子注意时间。这样，就会促进孩子与人协作的社会性发展，让他成为一个具有优秀社交能力的孩子。

特别提醒：

3岁左右的孩子开始学习与人交往，但他们还没有从联合游戏中过渡过来。父母切记不可指责孩子自私，要多加引导和鼓励，通过和孩子一起做协作游戏，帮助他们尽快学会合作。重要的是，我们要学会等待。

支持和鼓励孩子自己去发展新朋友

> 当孩子遇到交往中的问题时，鼓励孩子与对方交朋友，给孩子一些时间和空间，通过他们自己的努力去改变事情的现状，而不是让孩子能忍则忍或以牙还牙。
>
> ——崔华芳《做最成功的父母：赏识孩子的 55 个细节》

早上起来，彤彤磨磨蹭蹭，终于在妈妈的催促下收拾好了。妈妈要送彤彤去幼儿园，她又哭着喊着不愿去："我不去幼儿园，幼儿园里没人和我玩儿！"

欢欢和妮妮在思思家玩，她们一起在书房里听音乐跳舞。欢欢和思思手拉手模仿电视里跳交谊舞的样子跳了起来。她们俩一会儿左，一会儿右，欢欢还围着思思转圈，跳得开心极了。等她们跳累了，一看，没有了妮妮，她们赶紧去找，原来妮妮自己躲在卫生间里，偷偷地哭呢。她是感觉受了冷落，一个人在卫生间委屈生气。

幼儿园里，小朋友在玩自己的玩具，涛涛跑过去就抢。他先抢了恒恒的皮球，玩了一会儿就扔了。接着又抢了贝贝的毽子，贝贝想夺回来，他就把毽子扔上扔下，急得贝贝大哭起来。慢慢地，涛涛走到哪儿，小朋友都躲着他。

很多妈妈非常苦恼，因为她们的孩子不愿意去幼儿园，每天早上送孩子去幼儿园都像打仗一样。因为孩子在幼儿园没有交到新朋友，他们会感到非常伤心，看上去也非常可怜。即使孩子去了幼儿园，也会很孤独地躲在角落里，不主动和小朋友交往。

"孩子难道出了什么问题吗？"妈妈很担心。

◎了解孩子为什么没有朋友

孩子没有朋友，首先要从父母身上找原因，这往往与家庭教育有关。父母足够的爱会让孩子心里充满阳光，孩子内心就会有足够的安全感。他们就是坚强的、开放的，会主动地与人交往，并发展新朋友，在陌生的环境也不会感到羞怯、紧张。但如果我们本身不善于与人交往，或者夫妻之间相处不和谐，经常吵架，或者孩子经常遭到父母的批评指责，孩子就会感到外界是不安全的，与人交往的时候就会退缩、逃避。

如果孩子是因为霸道而导致人际关系紧张，父母就要检讨自己是否对孩子过分娇惯。有些父母怕自己的孩子太软弱会吃亏，或者对孩子过度纵容，致使孩子的自我意识过分膨胀，以自我为中心，目空一切，完全不顾别人的感受，以捉弄取笑别人为乐。这样的孩子处处攻击别人，导致人人避之唯恐不及，身边没有一个朋友。

还有一个原因是孩子本身性格所致，有些性格内向害羞的孩子很容易成为别人欺负的对象。他们不是被别人疏远，而是不去主动与人交往，永远等着别人来找自己，满足自己的交往需求。这样的孩子在生活中总是处于被动的局面，从不会发挥自己的主动权。当然，孩子这种性格也和父母的溺爱、让孩子养成凡事被动接受的习惯有一定的关系。

◎支持和鼓励孩子自己发展新朋友

认识到孩子身上的问题，作为父母，我们该如何帮助孩子交到新朋友呢？

首先，我们要为孩子创设一个民主、平等、和谐的家庭氛围。尊重孩子，平等地对待孩子，做孩子的朋友，培养他们爱说话、敢说话的性格。家里的事情只要和孩子有关就让他参与讨论，只要孩子说得有理，我们就合理采纳。这样就可以帮助孩子树立自信心，学会大胆与人交往。

其次，教给孩子一定的社交技巧。只有拥有了社交能力，孩子才能在生活中找到志同道合的朋友。所以，我们要教给孩子具体的社交技巧，让孩子学会交友之道。我们可以和孩子进行角色扮演，模拟当时的场景，让孩子学会交往。比如，当孩子想加入别人正在玩的游戏时，可以对别人这样说："我能参加你们的游戏吗？""我想和你们一起玩，可以吗？"当别的小朋友抢孩子的玩具时，我们可以教孩子躲开"小霸王"以避免伤害，当孩子大一点儿，要教给孩子据理力争，不要一味退缩，就可以教给孩子这样说："我正在玩，等我玩好了你再玩，好吗？"或者说："这次我让给你，但是你这样做是不对的，玩玩具应该排队。"这样，就可以鼓励孩子勇敢地结交到新的朋友，也能避免遭到人身伤害。

帮助孩子创设交往的情境，提高孩子的社交能力。可以鼓励孩子多串门，或邀请一些小朋友来家里玩。当家里来了小客人，我们要让孩子参与接待，不要凡事都冲在前面，让孩子失去了锻炼交往能力的机会。

鼓励、赞美孩子。当孩子有了积极正确的交往行为时，我们要充满激情地赞美、鼓励孩子，可以亲亲、抱抱、抚摸孩子，这不但让孩子感受到父母的爱，更能让孩子明白什么行为是正确的，并一直继续下去。

特别提醒：

3岁左右的孩子，已经到了发展社交能力的黄金期。我们应该支持和鼓励孩子去发展新朋友，切忌因为怕孩子受欺负而鼓励孩子去抢别人的东西，或者用暴力的方式反击。这对孩子的健康成长是非常不利的。

创设情境，给孩子更多的自我表达机会

中国的孩子都有这样的毛病，小时候都没有表达自己意见的机会，每次一开口，就被大人挡回去说："小孩子有耳无口，听别人说就好。"但是父母忘记了"听"是个被动历程，"说"才是主动的组织。当心中有话要说出来时，我们动用到很多大脑区域，活化了很多神经元，远比"听"多了许多。我们知道当一个孩子能够把看的书讲出来时，他就看懂了，那个知识就是他的了。

——洪蘭

强强 3 岁了，在家里很活泼，甚至有些霸道；但在外面别人跟他说话他都不敢抬头，别的孩子抢他的东西他都不敢吭声，就是比他小的孩子打他一下，他也不敢还手。到小区的游乐中心，他见到其他的小朋友在那儿玩，他会拉着妈妈的手和他一起，才敢去和小朋友玩。

玥玥从 2 岁以后，就变得非常害羞。她的说话能力比一般的同龄人要好，在熟人面前"噼里啪啦"地说起来没完；但见了不熟的人或者到了一个新环境，她从来不像其他孩子那样说"叔叔好！阿姨好！"之类的话。别人给她零食她也不接，妈妈帮她接过来，她非要等到回家了才肯打开吃。偶尔跟着爸爸去办公室，她都会躲在爸爸怀里不出来。

在网上见到一位妈妈的求助帖，她说："女儿小班的这一学年已结

束了，老师在对孩子的评价中说孩子不能很好地用已有的词汇和句型表达自己的意愿。可是据我观察，孩子在家里能很好地与家人交流，表达自己的意愿，当遇到陌生的人或害怕交往的小朋友时才显得不善于表达自己。在幼儿园的观摩课上孩子回答老师的问题声音很小，好像不敢说似的。女儿其实很活泼、开朗，也很喜欢与小朋友交往。只是到了一定的场合，如与老师之间、陌生人之间才会显得胆小，不敢表达自己的意愿，不知如何使孩子能在任何情况下大胆地表达自己，希望专家给出一些建议。"

◎ **了解孩子为什么不敢表达自我**

3岁左右的孩子已经处于社交的萌芽阶段，他们开始渴望与外界交流，如果孩子不善于表达自己，可能是由于他们的生活环境造成的。高楼林立、钢筋水泥的城市，让人与人之间的关系日渐冷漠，一个楼道住了多年谁都不认识的现象比比皆是。如果我们不善交际，很少与外界接触，不喜欢与陌生人交往，就很可能造成孩子长久独居，逐渐形成孤僻性格，在陌生的环境就很难表达自我。

如果孩子在家里很活泼，在幼儿园或到了外面却不爱说话，可能是因为孩子在家里经常听到父母的赞扬，或受到长辈娇惯溺爱。他们在熟悉的环境中能够自信地表达自我，犯了错误也不唯唯诺诺，有时甚至还会胡搅蛮缠。但他们一到陌生的环境或见到陌生人，就会感到自己不如同伴，自信心受到打击，就难以表达自我了。

让孩子在家里很自我，认为自己无所不能，还有一个原因是因为父母对孩子要求太严格，经常要求孩子像大人一样做事。孩子的心智还没有成熟，这样的要求常会使孩子感到不知所措。对有强烈好奇心的孩子要求太严，常常告诫孩子这不准摸、那不准碰，甚至不准问，长久下来，孩子自我表达的欲望和能力就丧失了。

◎创设情境，给孩子更多表达自我的机会

当然，有可能上面的情形都不存在，那么，问题就简单了。孩子可能是暂时地出现这些情况，他们的可塑性很大，我们要对孩子的改变充满希望。

我们不要过多地强化孩子的行为，比如我们不能经常在孩子面前说他们不爱表达的事实，因为我们每一次提到，都是在强化孩子的这种行为。孩子就会认为："哦，我就是这样子的。"长此下去，这样的行为就会在孩子内心固化下来。如果孩子在不熟悉的环境或见了不熟悉的人害羞地躲起来，父母不要责怪他们"怎么这么不懂事"，而是顺其自然地让孩子体验到对方的友好，等孩子心情放松后，自然就会变得大方起来。

我们要让孩子享受到充足的自由和爱，让他们放松地游戏，自然地与人交往。同时我们可以用自身的行动去影响孩子，在孩子面前以开放的心态表达自我。多鼓励孩子的进步，强化孩子的优势行为。在平时我们可以鼓励孩子大声讲话，给家人讲故事，也可以和孩子玩一些见陌生人的角色扮演游戏，以此来锻炼孩子的自我表达能力。

作为父母，可能发现，孩子对于同龄伙伴不会排斥，他们很喜欢和小朋友一起玩耍。比如孩子虽然有些胆怯，但他们还是主动地往孩子多的地方凑。父母可以在平时多邀请一些孩子的同龄小朋友来家里玩。作为小主人，孩子就会表现得很大方，主动表达自我的要求和愿望。

父母可以多带孩子到外面去，孩子的视野开阔，知识丰富了，就会变得自信、开朗起来，一个自信的孩子是能够勇于表达自我的。

特别提醒：

  对于刚刚有社交欲望的孩子来说，勇于表达自我是孩子社交的第一步。不能用宠爱和娇惯让孩子失去正常表达自我的能力。我们要为孩子制造一些机会，让孩子成为受欢迎的人。

别拿"旁边的那个人"吓唬孩子

> 吓唬孩子给孩子带来的不良影响是很严重的。一位早教教育专家说："不要让孩子的心灵装进恐惧、忧虑、悲伤、憎恨、愤怒和不满，这些情绪和情感对孩子的神经十分有害，会引起身心虚弱，影响身体健康。"
>
> ——李丽《妈妈不可不知的育儿心理学》

一次，去朋友家串门，走到朋友家楼下，看到一位奶奶正在楼下追着孙子喂饭。那个小男孩 3 岁左右，虎头虎脑的，很可爱，就是很调皮，见奶奶跑来，他比奶奶跑得还快，奶奶好不容易追上喂一口，小家伙就又跑了。奶奶年纪大了，又累又急，就吓唬孙子说："你再不好好吃饭，我就让王爷爷把你抓起来，扔到很远的地方去。"这个办法很管用，小家伙马上就跑过来，然后脸上带着害怕的神情，对奶奶说："奶奶，我好好吃饭。"

曾听一位母亲讲过这样一件事：

女儿有一天不听话，我告诉她："你再不听话，我就让隔壁的李伯伯把你抓走！李伯伯专门抓不听话的小孩。"因为老李长着满脸络腮胡子，孩子见了他有些怕。孩子听到我的这些话，就会老实一会儿。

有一次，隔壁的老李来家里借东西。进了门，老李要抱抱孩子，女儿吓得一个劲儿地往我身后躲。我让她喊"李伯伯好"，她死死拽着我的衣角就是不叫。我有些不好意思，等老李走了以后，我一看女儿，竟然一脸的汗。这天晚上，孩子在半夜里还好几次被噩梦惊醒，一边哭一边喊："别抓我！别抓我！"

我们小时候也经常被大人吓唬"你不听话，就让疯子把你抓了去""你再闹，把你卖给街边收破烂的"之类的话。所以，到现在，我们遇到某些人还会绕着走。我们都很纳闷，上一辈不都是这样管教孩子的吗？现在的孩子怎么啦？

◎了解为什么吓唬孩子的招数很"灵验"

我们很多做父母的总会遇到孩子不听话或者无理取闹的时候，无论我们怎么哄，怎么讲道理都不起作用。这时候，我们通常会用上例中妈妈的方法来吓唬孩子："看到旁边那个人了吗？你再不听话，他就会来抓你。"这样，孩子听了就会害怕，便会停止他们的吵闹，乖乖听话。为什么这个方法会这么灵验呢？

每一个孩子在生命的最初几年，都是脆弱的，他们都要经历一系列的考验才能逐渐长大。他们的心智还不成熟，思维还不发达，辨别能力差，有时很难分清现实和想象。他们的头脑中充满了幻想，对外部世界和内心世界的分界不是很明显。在他们的潜意识里，原本就有一些充满危险的画面，比如怕黑，怕野兽，怕雷电，这些恐惧来自人类的集体潜意识。当父母用语言或夸大事实的方式来吓唬孩子的时候，他们的内心就会创造出不好的形象或制造与父母分离的场面，把这些当成事实，并在心里产生巨大的恐惧。因为害怕这些形象，害怕与父母的分离，也出于自我保护的本能让孩子听从父母的管教。

在孩子的意识里，父母是他们最亲近的人，他们对父母的话深信不疑，所以当父母说出"让那个人把你抓走"之类吓唬孩子的话的时候，孩子的恐惧程度是可想而知的。就像我们前面提到的第二个例子一样，孩子不只会半夜惊醒，说梦话，严重的还可能导致孩子罹患恐惧症。

◎拿"旁边的那个人"吓唬孩子的副作用

父母如果长期吓唬孩子，会引起孩子的焦虑、恐惧。在孩子开始向外界探索的时候，我们的吓唬会束缚孩子对周围世界的探索，使他们对自己的能力顾虑重重。他们会因为恐惧而变得敏感、胆怯、刻板、不懂得变通、对周围环境没有安全感，或是用暴力来掩盖自己脆弱的内心，排斥与人接触、交往，处处有防备之心。孩子对很多事物的认识都是模糊不清的，父母一味地吓唬，也许会使孩子丧失好奇心，抹杀他们的探索精神。

比如，将来孩子进了学校，在与人交往的时候就会遇到障碍。他们会很在意别人的评价，担心自己不被对方喜欢和接受，从而导致孩子的人际关系紧张。

被父母吓唬很容易导致孩子对父母的不信任。当孩子慢慢长大，他们的认知能力和判断能力不断提高；随着知识的增多，当他们能很好地区分现实和想象，他们会发现现实和大人的一些话有很大的差距，就会发现大人的话并不完全可信。这时候，他们可能会瞒着大人做一些尝试，也将遇到更加难以预测的危险。比如，我们曾对孩子说"不要玩火，会把你烧死的"，他们偏偏要去尝试一下，这样的结果是非常危险的。

特别提醒：

3岁左右的孩子正开始向外界探索，为了避免孩子在人际交往中形成自卑、退缩、恐惧的心理，为了能让孩子交到好朋友，切记不要用"旁边那个人"去吓唬他们。

巧妙教育孩子成为有礼貌的小标兵

> 人类追求的无非是快乐，因此有礼貌的人较之有用处的人更能得到别人的欢迎。一个真挚朋友的能力、真诚和善意，往往不易抵消他的严肃与坚实的表示所产生的不安。
>
> ——洛克

圆圆已经 3 岁了，上幼儿园小班。幼儿园里别的小朋友都很懂礼貌，可是，圆圆从来没有主动和别人打过招呼，就是见了老师她也不问好，更没有说过"谢谢、请、对不起、没关系"这样的礼貌用语。在吃饭和做游戏的时候，圆圆总是以自我为中心，完全不顾自己的行为是否影响到别人；就是妨碍到别人她也不会向人道歉。

宁宁 3 岁多了，妈妈带他去别人家做客。在别人家，他总是毫不客气地乱翻人家的抽屉，在冰箱里随便找东西吃；或者不经主人允许便跑到人家的书房乱翻书柜里的书；还会爬到沙发上，沿着沙发靠背摇摇晃晃地走；要么就钻到桌子底下、床底下……

让磊磊妈妈最伤心的事情，是差两个月不到 3 岁的磊磊在家里来了客人之后，他都会一改平时的乖巧、懂事，出人意料地做出霸道、没礼貌的行为，还会当着客人的面耍脾气。如果家里来的是磊磊的同龄小客人，他还会和人家抢吃的、玩的、喝的，表现得很不友好。磊磊的爸爸

妈妈碍于情面没有当面严厉指责过他，但磊磊的表现实在让他们忧虑。

并不是所有3岁左右的孩子都表现得文明懂礼，每个孩子都可能有不同程度的不懂礼貌的情况。或者原来孩子挺懂礼貌的，后来表现却越来越差了。这就让妈妈们非常的忧心，她们担心孩子这样的表现会成为日后阻碍他们人际交往的绊脚石。

◎了解孩子为什么没有礼貌

礼貌对于孩子来说，既是品质特征，又是社交技巧。孩子是以我们为榜样学会的礼貌举止。在要求孩子有礼貌的同时，我们必须时时做到礼貌待人。有时，当孩子没有说"再见""阿姨好""谢谢"时，我们会当着孩子的面用严厉的话指出来。我们的这种做法本身就是不礼貌的，用粗暴的方法教给孩子懂礼貌，恐怕不是一个能取得好效果的方法。所以，我们不要把孩子的礼貌当做自己的面子，好像孩子有礼貌就体现出我们教育得多么好，没有礼貌就是我们教育的失败。这样的想法是有失偏颇的。

1岁多的孩子会嘴很甜地和别人打招呼，父母让叫什么他就叫什么，很乖很懂事。可是，随着年龄的增长，孩子好像越来越不懂礼貌了，不但不叫人，还会和其他小朋友抢东西。我们要明白，3岁左右的孩子正处于第一反抗期，他们会用不再叫人、不再打招呼来反抗父母。他们的表现其实是在维护自我，这样的做法会让他们感觉到自己更加独立自主。

再者，对于3岁的孩子来说，他们并不理解礼貌的重要性，他们不知道为什么要叫人。眼前这个不太熟悉的人可能对父母来说很重要，但在孩子看来跟自己毫无关系。一般，孩子只对跟自己有关系的人感兴趣，对自己不太感兴趣的人展现笑脸、打招呼问好不是他们发自内心的行为。所以，处于自我意识萌动期的孩子会表现得没有礼貌。

◎巧妙教育，让孩子成为礼貌小标兵

拥有文明的举止、得体的礼仪、高雅的气质，能够成为孩子长大之后成功的敲门砖和铺路石。所以，我们要从小培养孩子有礼貌的好习惯。

让孩子感同身受地理解大人的友谊。我们大人有大人的圈子，包括亲人、同学、同事、朋友等，可是我们大人的圈子对孩子来说几乎是陌生的，大人之间的感情孩子是难以领会的。我们要求孩子像我们对待客人一样表现出发自内心的热情和礼貌几乎是不可能的。因此，家里来客人或者我们去做客之前，要先把我们和客人的关系与感情跟孩子沟通一下。比如，我们可以对孩子说："要来做客的阿姨和妈妈是非常好的同学，就像你和你们班的玲玲一样，玲玲要来我们家你是不是要热情招待呢？"当客人来的时候，孩子自然就会很热情、懂礼貌了。

转换角色，让孩子体验做客人或主人的感觉。这样的方法适合于有不会礼貌待客或者去了客人家随意乱翻等不良习惯的孩子。比如，家里来了客人，孩子一个劲儿地吵闹，也不跟客人打招呼。我们就可以在客人走后，和他们玩过家家的游戏，让孩子扮演客人，我们就用孩子刚才的表现对待他；孩子受到了委屈，就会听从妈妈的指导，学会礼貌待客了。对于不会做礼貌客人的孩子，我们也可以用这样的办法，让他们体验到自己的表现给别人带来了麻烦，是不礼貌的，慢慢的他就会改掉这些坏习惯。

用语言暗示或引导孩子。客人来家做客，我们可以向客人介绍孩子的情况，对孩子稍加夸奖和鼓励。我们可以这样说："我家孩子非常懂事，特别懂礼貌。"每个孩子听到这样的夸奖，都会慢慢学好的。当然，对于孩子表现好的时候，我们要及时表扬，以期让孩子变得更好。

特别提醒：

　　3 岁左右的孩子开始学习与人交往，但他们可能还没有学会与人交往的技巧。父母切忌用粗暴的方式让孩子学会懂礼貌。当着客人的面，千万不可责怪孩子，这不仅让客人难堪，也难以让孩子养成礼貌的习惯。

不要为了自己的面子而当众批评孩子

父母不宣扬子女的过错，则子女对自己的名誉就愈看重，他们觉得自己是有名誉的人，因而更会小心地去维持别人对自己的好评；若是父母当众宣布他们的过失，使其无地自容，他们便会失望，而制裁他们的工具也就没有了，他们愈觉得自己的名誉已经受了打击，则他们设法维持别人的好评的心思也就愈加淡薄。

——洛克

一次，在网络上搜寻资料，看到一个孩子写给妈妈的信——《妈妈，请别当着外人数落我》：

妈妈，您知道吗？我都不敢再邀请同学来家里玩儿了。您总是跟同学说我的不是，什么"阳阳常常迟到是因为爱睡懒觉""东西总是乱丢""不爱洗澡"等，一点儿面子也不给我留！

班里已经把这当笑话传开了，同学们都拿我开玩笑，弄得我都不想去上学了。只要跟您出门，我就得扮演好孩子的角色，什么都得听您的，要不就会招来您的一通数落。上次在超市，我想吃巧克力，您就是不给买。正好邻居叔叔经过，您就当着他还有好多顾客的面，大声地数落我："这孩子真不懂事，太不听话了！"当时那么多人看着呢！我觉得真是太丢人了，于是跑回了家。正好姑姑在家，您又把刚才的事说了

一遍，还当着姑姑的面数落了我一通。

妈妈，您总是这么当着外人数落我，您有没有想过我的感受？大人都知道要面子，难道我就没有面子吗？您知道吗？我现在最怕和您在一起的时候有别的人在，怕您总是借机数落我。

我知道，您也是想让我改掉坏习惯才会批评我的，可是我希望您能在家或是在没有其他人的地方跟我说。给我留点儿面子，行吗？

儿子：阳阳

孩子的这封信绝不是偶然，想想我们自己身上，是不是也和阳阳的妈妈一样有类似的问题呢？

◎了解孩子为什么害怕当众批评

每个人都是有自尊心的。虽说中国有句俗话叫"孩子的脸，说变就变"，说的是孩子的情绪来得快，去得也快，但孩子会对一些不良的情绪体验具有很深的印象。他们会刻意逃避产生不良情绪的环境。就像阳阳说的，他"最怕和您在一起的时候有别的人在，怕您总是借机数落我"。父母当众的批评很可能导致孩子产生社会退缩，对新环境或陌生人产生恐惧、焦虑情绪和回避。

3岁左右的孩子，他们就有了强烈的自我意识，很在意别人对自己的评价，以此来作为对自我的认识。尤其是在同伴面前，他们会很努力地维护着良好的自我形象，而父母当众批评孩子会一下子把孩子所有的努力都抹杀了。这对孩子来说是一个很大的心理打击，他们会感到难堪、羞辱、气恼而无法接受父母的做法。有的孩子会形成自卑、自闭的心理，有的可能产生逆反心理，甚至以丑为美，做出出乎父母意料的举动。这些都不利于孩子形成健全人格。

◎尊重孩子，不要为了自己的面子去当众批评孩子

如果我们是为了自己的面子而批评孩子，比如，我们带孩子去参加

聚会，看着别人家的孩子一口一个"叔叔好，阿姨好"，我们一个劲儿地夸这个，赞那个；而自己家的孩子也不和别人打招呼，还一个劲地乱跑乱窜，我们看在眼里，气在心头，拉过孩子就是一顿批评。很多人过来劝解，孩子倒是老实了，但我们可以预料，孩子以后是不情愿再跟我们出来的。

我们是觉得自己的孩子不如别的孩子表现出色，为了面子才会有这样冲动的举动。其实，孩子的面子比大人的面子更重要。我们不要当众批评孩子，因为孩子的每个行为都有一定的原因，这与他们的生理、心理和年龄特点有关。在大人看来，孩子还小，批评一顿不算什么，可是在孩子看来却是很严重的事情。我们不了解原因，反而为了自己的面子就当众批评孩子，不但不能解决问题，还会让孩子产生逆反心理，使他的行为更隐蔽，更具破坏性。

当众批评孩子，不仅会损伤孩子的自尊心，还会导致孩子自卑、自闭的倾向，这样的结果我们不能轻易尝试。因此，我们要站在孩子的立场尊重孩子，理解孩子，这样能够让孩子形成一种自尊、自爱、自强的人格品质。这样的孩子在人际交往中，既能尊重别人，为他人着想，又能尊重自我，不卑不亢；所以能得到别人的尊重，在生活中自信心和责任感就会很强，还会有很强的进取精神。

所以，我们应该尽量避免当众批评孩子，要采用委婉或隐蔽的方式指出孩子的错误。我们保护了孩子的自尊心，孩子就会接受我们的批评和建议。

特别提醒：

孩子的面子重要还是家长的面子重要？明智的家长一定会选择前者，因为孩子的成长是第一位的。因此，我们要避免当众批评孩子，要尊重孩子，私下解决孩子所犯的错误。

对孩子表现出的分享品质表示赞赏

分享是一座天平，你给予他人多少，他人便回报你多少。相反，如果你是一个自私的人，那么你就永远也不会得到真正的快乐，永远交不到知心的朋友！

——徐娟

3岁的豪豪是爸爸妈妈的小王子，他特别能保护自己的东西。妈妈给他买来他爱吃的东西，他拿到手里，妈妈再要就要不回来了。平时小朋友来家里玩，他的玩具谁也不能动。爸爸妈妈好不容易哄得他和小朋友一起玩，可是没玩一会儿，他就从人家手里把玩具抢回来。有时候，他拿了别的小朋友的玩具，死活都不肯还给人家。豪豪的爸爸妈妈拿他一点儿办法也没有。

两岁的壮壮到3岁的正正家玩，正正在玩着他的玩具，看到壮壮来了，赶紧找来一个塑料袋，把他玩具中的所有汽车都装进袋子里，拼命往外拉袋子。妈妈问他干吗去，他大声说："我要到外面玩！"当时正值冬天，外面刮着猛烈的北风。正正妈妈真是哭笑不得。正正妈妈无奈地对壮壮妈妈说："他是不想让壮壮玩他的小汽车。"

星期五是孩子的玩具分享日，幼儿园的小朋友都从家里带来玩具，而佳佳却把自己的玩具抱得紧紧的，嘴里说："这是我的玩具，我从家里带来的，我的玩具凭什么要给你们玩。"

几乎每个孩子都有这样的表现，他们拼命护着自己的"宝贝"，不肯与别人分享。当两个3岁的孩子在一起争抢玩具和食物的时候，双方的妈妈都有些不好意思："我们平时总跟他讲要与小朋友一起分享，怎么一点儿都不管用呢？孩子怎么这么自私呢？"

◎了解孩子为什么不懂得分享

我们习惯把孩子不懂得分享看成是孩子的品行问题，其实这是完全错误的。孩子的"自私"是将来学会分享的必经之路，他们要经过这样一个心智成长的历程，才能慢慢领悟，学会分享。

3岁左右的孩子正是自我意识的发展阶段，他们由前两年的依恋逐渐迈向独立。在这个阶段，孩子开始建立"所有权"的概念，开始明确我、我的、我的东西。在他们心中，所有拿到他手里的东西都是"我的"，他意识不到别人也有"我的"，也不明白为什么要和别人分享。建立分享意识需要一个漫长的过程，孩子要先分清哪些是"我的"，哪些不是"我的"，然后才能在一个不断反复和练习的过程中，逐渐体会到分享的快乐。

3岁的孩子还没有掌握"借"与"还"的概念，他们不懂得"借"出去的东西还能要回来，而是很片面地以为，东西只要一旦离开自己的手，就不再属于自己了。他们拿到手的东西也自然认为是"我的"，不肯归还。所以，他们才会有努力"护卫""我的"东西的可笑举动。只有当孩子真正确认了什么是"我的"，什么东西属于自己以后，才能逐渐意识到什么东西是别人的，然后才能把自己的东西和别人的东西区分开。

当然，这其中也有家庭教育的因素。有些孩子在家中是独生子女，很容易养成吃"独食"的习惯，形成"一人独大"的性格。因为缺少与手足、朋友分享的机会，再加上父母对孩子的溺爱，过度满足，都可能造成孩子以自我为中心的性格，只从自己的角度考虑问题，不会顾及周

围人的感受。孩子长大之后，很容易因遭受挫折或打击而一蹶不振。

◎对孩子表现出的分享品质表示赞赏

通过上面的分析，我们可能以为既然是孩子自然的心理成长阶段，就可以不用培养或引导了吧？其实不然，我们应该对孩子偶尔表现出的分享品质表示赞赏和鼓励。

我们与孩子朝夕相处，在孩子的一举一动中，要善于发现孩子表现出来的分享行为，并及时表示赞赏，进行正面强化。我们要帮助孩子从一点点的分享行为发展到不断地、自发地产生分享的动机和行为。

比如，孩子拿着吃的递到我们嘴边，我们一定要咬一口，然后称赞孩子："宝宝能把自己的东西给妈妈分享，真是好孩子!"当然，不只是语言赞美，我们还可以用赞许的目光、灿烂的笑脸、微笑点头等方式赞美孩子的分享行为，这些都能让孩子感受到很大的鼓励，从而进一步强化分享动机和行为，使他们能自觉地与别人分享。

切记不要因为一块饼干、一个玩具汽车就给孩子贴上"自私"的标签，3 岁的孩子还不懂得分享的事实，耐心等待孩子长大，再慢慢引导孩子学会分享。

特别提醒：

对于 3 岁孩子伤害最大的就是强迫孩子分享。在孩子还没有分享意识和动机的时候，我们强行拿走孩子的玩具给其他小朋友玩，这样的做法会加重孩子的"自我"成分，他很可能一生都学不会与人分享了。那么，孩子就真的变成"自私"的了。

鼓励孩子利用合作而非冲突解决问题

> 吵吵闹闹是上帝赐予孩子们的礼物，孩子们在吵闹中长身体，长智慧。打打闹闹是孩子的天性，孩子之间的争吵，大多发生在共同游戏的过程中。
>
> ——陈鹤琴

铭铭和京京都3岁多了。一天，铭铭和京京在一起玩，他们各自用积木搭房子。可是，搭房子的积木不够多，他们谁都不能搭成一个完整的房子。为了抢积木，两个人吵了起来，继而动起手来。最后他们俩搭的房子也倒了。铭铭爸爸从书房里出来了解情况，两个人都争相告状。铭铭说："京京抢我的房顶，还把我的房子推倒了。"京京很委屈地说："你还抢了我的台阶呢！"他们俩你一言我一语，谁也不让谁。

3岁左右的孩子在一起，经常发生这样的情况。"XX抢我的汽车。""XX打我。""XX不跟我玩。"诸如此类的矛盾和冲突经常发生，让爸爸妈妈很是烦恼。爸爸妈妈心里清楚不能不带孩子和同伴交往，搞得父母的神经一刻也不敢放松。

◎了解孩子为什么会有这么多的冲突和问题

孩子之间会因为一些问题出现矛盾，常见的原因有：物品的分配不合理，比如上面的例子中铭铭和京京争夺积木，还有一些孩子是争夺图书或者其他玩具和用品；他们认为别人妨碍了自己，比如玩具被别人抢走了，别人把自己的脚踩痛了，头发被人揪疼了，座位被别人占了，等等；有些时候还是出于竞争、嫉妒或者维护荣誉，比如有的孩子看到父母抱别的孩子，他就会打他，或孩子对游戏结果不满意；出于正义感，比如有些小男孩看到好朋友被人欺负了，就为他打抱不平，等等。

孩子之间为什么经常发生一些矛盾和问题呢？这是由孩子的认知水平决定的。3岁左右的孩子，常常以自我为中心，他们只按照自己的意愿做事，很难站在别人的角度考虑问题，也不能接受别人的建议和意见；又由于语言表达能力有限，缺乏良好沟通经验，与同伴在一起玩耍的时候，多半是出于好心却办了坏事，遭到误解也不会辩解。因此，彼此之间很可能随时发生一些问题和矛盾。但孩子的情绪不会因为刚才的矛盾而受到影响，过不了多久，他们就会像什么都没发生一样又玩在一起。

◎冷静对待孩子之间的矛盾和冲突

我们要冷静对待孩子之间的冲突，如果我们的孩子和小朋友出现了问题，不要过于紧张，因为这是每个孩子都必然要经历的阶段。我们要明白，这是孩子成长的一种经验积累。著名教育家陈鹤琴说："吵吵闹闹是上帝赐予孩子们的礼物，孩子们在吵闹中长身体，长智慧。打打闹闹是孩子的天性，孩子之间的争吵，大多发生在共同游戏的过程中。"

孩子之间出现问题，不但可以让孩子在冲突中学会交往，还可以帮助孩子改正以自我为中心的不良习惯，学会尊重别人、宽容和合作。

◎鼓励孩子利用合作而非冲突解决问题

大多数3岁左右的孩子，他们解决问题的方法主要有两种：一种是身体攻击，一种是退缩回避。一般情况下，孩子的问题还是需要孩子自己来解决。但毕竟孩子经验有限，当孩子向我们求助的时候，我们要引导孩子正确地处理所面临的问题，帮助孩子认识到解决冲突的办法有多种，使他们懂得友好相处，彼此合作。鼓励孩子用合作的方式来解决彼此之间的矛盾。比如上面铭铭和京京争抢积木的例子中，父母可以告诉孩子："铭铭缺房顶，京京缺台阶，你们两个的房子都搭不好。这么多积木只够搭一座房子，不如你们两个……"为了引导孩子，可以适当卖个关子。两个孩子想了想，抢着说："我们两个一起搭个大房子。"

由于是孩子自己想出的办法，他们会非常合作地去做好，当孩子搭好之后，不要忘了对他们进行表扬。

当孩子因为物品分配不满意，或者在游戏中因为太自我而造成的矛盾，父母可以鼓励孩子利用合作而不是冲突解决问题。比如，两个孩子因为争抢一个椅子吵起来，一个说是他先找到的，另一个说是他先找到的，两个人谁也不肯让步。这时候，父母就可以告诉孩子：可以玩"剪子、包袱、锤"来决定谁坐这把椅子。孩子对这样的友好合作的方式很满意，即使输掉的一方也会心甘情愿地认输，去找别的椅子坐。

三四岁的幼儿开始具有初步的对社会规则、行为规范的认识，能做最直接、最简单的道德判断。喜欢与人交往，有了与其他小朋友一起活动的愿望，对父母有着很强烈的情感依恋。

特别提醒：

3 岁的孩子喜欢与人交往，有了与其他小伙伴一起活动的愿望。但当孩子之间出现问题，我们不要武断地判断谁对谁错，也不要以为孩子之间发生冲突就是品行不好。我们要教给孩子用合作的方式而不是用冲突解决问题。

孩子之间的矛盾由他们自己去解决

如何处理人际关系，也是孩子体现自立能力的重要内容。很多时候，我们忽略了利用处理人际矛盾来锻炼孩子的自立自主意识，所以经常会看到，两个小孩子争一个玩具的时候，妈妈们急忙跑过来，劝这个拉那个，把矛盾平息下来；孩子和伙伴闹别扭了，撅着嘴回家了，妈妈赶紧领着孩子去找小伙伴做工作，调和矛盾，看着两个孩子握手言和，才放心回家。

——东子《玩到 5 岁学啥都不晚》

我们很多做父母的以为替孩子解决一切问题是自己应负的责任，还有的父母会因为孩子在幼儿园受了委屈而找老师、找园长告状，或是自己的孩子被别的孩子"欺负"了就找对方的家长理论，生怕孩子吃亏，全权代理孩子的成长。

我见过这样一个场面：夏天的晚上，人们在楼下乘凉，一个三四岁的男孩不知道什么原因打了一下比他小一点儿的男孩，孩子的奶奶不干了，上去就打了打人的孩子一下，结果，打人的孩子的奶奶赶了过来，两个奶奶便大吵了一顿。

前些日子看到这样一则报道：

有一个姓宋的男孩，他是家里唯一的儿子，上面有 6 个姐姐。他是在父母和姐姐们的宠爱呵护下长大的。小时候，每次他与同伴发生矛盾，父母都会想办法替他"摆平"，不让他受半点儿委屈。父母全权处理他和别人的纷争，让他养成了爱告状的坏习惯。一有问题，他就哭着回家找父母帮忙，在他幼小的心灵里就有了父母能帮他解决一切困难的观念。他变得专横跋扈、不可一世、自私自利，小朋友都不愿和他玩，他很孤独苦闷，但不知道怎样才能和别人友好相处，他用挑剔、苛责别人来维护他脆弱的自尊心。他动不动就对人发脾气，这种状况严重影响了他的正常生活。尤其是到了青春期，他怪异的行为受到同学的非议，没有人愿意和他交往，他被孤立在团体之外。最终，这个被父母宠坏的男孩离家出走了。

◎父母帮助孩子解决问题的危害

从上面的例子中我们可以看出，代替孩子解决问题，一味地保护、偏袒孩子，最终伤害的是孩子自己。姓宋的男孩的悲剧不能不令我们反思，在幼儿时期，他本来可以通过和伙伴之间的冲突来学习如何与人交往。但是父母剥夺了他成长的机会，以至于他在以后的生活中不懂得如何与人交往，更不能在与人交往中认识到自己与别人的关系，没学会谦虚合作，最终导致了人格的扭曲。

如果孩子之间只要一发生冲突，父母就去干涉，就会剥夺他们自己探索、自我学习的权利，更会让孩子对父母产生依赖，什么事情都要父母替他们去解决，一有问题，首先想到的就是父母。但我们不能帮孩子解决一切问题。所以，这样的孩子在生活中表现出来的是退缩、怯懦、自卑、承受能力差，不能独立解决问题。

因此，我们说，成长是孩子的事情，父母是代替不了的。

◎正确面对孩子之间的冲突

当孩子和小伙伴之间出现问题时，我们应冷静、客观地观察，不要急于出面，让孩子有充分的空间和时间去发挥自己的能力。我们要相信，孩子的潜能是无限的，相信孩子有解决问题的能力。我们要明白，很多时候，孩子会有打人、推人、踢人的行为，这不仅仅是他们维护自身利益的一种条件反射，也是他们游戏的一部分。孩子之间的矛盾冲突是对事不对人的，并且他们也不会因此记仇。我们不是经常看到两个小伙伴刚才还打得哭哭啼啼，一转眼就又玩在一块儿的情形吗？

我们要尊重孩子成长的规律，让孩子在与同伴的冲突中不断成长。这种经历冲突的经验会帮助他更好地认识他所处的环境，让他在独自处理冲突的过程中，通过不断地探索与尝试，获得一种处理问题的方法。

◎放开手，让孩子自己去解决问题

只要我们用心，就会发现这样的现象：孩子在处理冲突时，他们会说出很多似是而非的道理。孩子虽然年龄小，但已经有了一定的道德准则，他们之所以发生冲突，是因为他们觉得自己有理，说明他们已经有了初步的是非观念，虽然这种观念包含了孩子的"任性"和"自我"成分，但却能表达孩子真实的内心世界。所以，在孩子处理冲突时，也是提高孩子表达能力和思维能力的大好时机。

孩子在处理冲突的过程中，其实是在尝试和学习解决问题的方法和途径。

比如，小美家刚刚搬到娜娜住的小区。一天，小美和妈妈在楼下玩，因为怕生，小美躲在妈妈的身后。娜娜走过去想和她玩，她过去要拉小美的手，小美伸手就抓了娜娜一下。如果我们是娜娜的妈妈，我们该怎么做呢？娜娜委屈地跑到妈妈怀里，妈妈鼓励娜娜自己去解决问题。过了一会儿，娜娜又跑到小美身边，隔着一小段距离看着她。两个小女孩相互看了一会儿，竟手拉着手一起去玩了。

特别提醒：

　　3 岁的孩子会在冲突中不断成长。因此我们没必要急于加入孩子的冲突，即使孩子吃亏了，也很正常。吃了亏，孩子就会学会调整自己的情绪，也能想出更好的办法来适应周围的环境。

注意孩子有了最初的性别区分感

两岁的时候孩子就不用穿开裆裤了，实际上这个时候孩子对性别的意识很差，还是家长决定让孩子穿什么、做什么，鼓励他什么行为、不鼓励他什么行为，用这种方式建立他的性别，同时我们赞美他是男子汉或者是美丽的公主，帮助他建立性别。

——李子勋

"女生做事大大咧咧，说话粗声大气，穿衣男子气；男生说话细声细气，动作扭扭捏捏……现在的孩子都怎么啦？女孩不像女孩，男孩不像男孩。"

说起现在的孩子，父母们一脸的无奈。

小影是一名初二的学生，她从小到大一直没有穿过裙子，没留过长头发，她的举止谈吐大大咧咧，不仔细看，别人都以为她是男孩。在小影的班级里，还有好几个和她一样的"假小子"，她们的性格都直爽、开朗，和男生一起勾肩搭背、称兄道弟。小影她们几个都特别崇拜李宇春。相反，她们班级有几个男生却很文静、柔弱，甚至一说话就脸红。

某小学在对刚入学的新生进行调查发现，入学哭闹的男孩比例远远高于女孩，女孩反倒比男孩更加能够适应环境，独立性也强。甚至于女孩与人争吵、打架也比男孩厉害。

◎了解孩子为什么会性别不清

有一位同性恋的青年说，他小时候是一个聪明、好动、顽皮的孩子，在他还很小的时候，就跟着哥哥们每天爬树上房，还喜欢哥哥们玩的弹弓和枪。每回灰头土脸地从外边回来，妈妈都要教训他。妈妈喜欢文静羞涩的女孩子，总把他打扮成小女孩的样子，给他扎上小辫子，穿上小裙子。他慢慢长大了，也慢慢地接受了异性的气质和着装。到了结婚的年龄，他不肯谈恋爱结婚，却与他的一位同性朋友形影不离。看到儿子的状况，做母亲的后悔不已。

有的父母有意无意地根据自己的喜好把男孩当女孩养，现在更多的女孩家长怕女孩受欺负，就把女孩当男孩养，这就可能导致孩子性别意识混乱，甚至导致孩子用异性的性别特征来塑造自己；结果男孩子性格软弱、爱哭，女孩子则刚硬直爽，在着装上也有明显的异性特征。当孩子的心理性格和生理性格严重不一致的时候，孩子就会对自己的性别身份很难认同，就会造成性别角色的错位，甚至有的孩子长大后会有变性的愿望。

越来越多的父母非常关心和重视青春期的性教育，让孩子学会保护自己、关爱自己，这是非常必要的。但是我们很多做父母的往往忽视了孩子出生头几年的性别教育。初期的性别教育是让孩子了解自身的性别和身份，让孩子认同自己的性别，并按照性别特征来发展自己。如果我们这个时期的教育有误差，就可能会导致孩子将来的性别偏差。

◎3岁的孩子已经有了最初的性别区分

大家印象里都有这样一幅画：一个男孩和一个女孩，大约三四岁光景。男孩用手撑开自己的裤衩让女孩看，女孩站在男孩的对面，睁大好奇的眼睛看那里到底有什么神秘的东西。

我们看到这样的图片，不仅觉得可爱好玩，还应该注意到，三四岁的孩子已经能够区分性别。大多数的孩子会发现男女在身体生殖器官上的差异，产生好奇心，他们会问爸爸妈妈很多问题：为什么我站着尿尿，而姐姐却蹲着尿尿？我是从哪里来的？等等。如果我们不回答这些问题或者乱说一通，都可能给孩子幼小的心灵注入错误的性别观念。

我们发现，带孩子去超市，男孩大多会选择车、枪、坦克一类的玩具，女孩则会选择布娃娃、小勺、小碗等一类的玩具，这也说明孩子对于性别已经有了初步的区分。

◎掌握科学方法，对孩子进行性别教育

首先，我们要帮助孩子确认自己的性别。3岁左右的孩子，就应该让他们知道自己是男孩还是女孩，了解人类有性别差异。当孩子因为好奇心问我们问题的时候，我们要接纳孩子的性别好奇。其实，孩子有一些性游戏就是出于好奇和模仿心理，我们不限制他们，玩过一两次，好奇心满足了，他们自然也就不玩了。不能因为担心孩子过早接触这些而胡编乱造，蒙混过关。这样，不但不能阻止孩子，还可能把他们引向更大的好奇。

其次，我们要满足孩子的性心理需求。3岁左右的孩子已经会走会跑，但他们有时会让爸爸妈妈抱，这样的情况可能是因为孩子在撒娇，也因为孩子的"皮肤饥渴"，渴望和大人的肌肤接触。当他们这样的要求得到了满足，他们就会拥有更大的安全感。我们可以通过搂抱、亲吻、抚摸等方式，满足孩子的"皮肤饥渴"。当然，孩子因为有了初步的性别区分，女孩更喜欢让妈妈抚摸。

另外，我们要教会孩子与异性友好相处。我们不用担心孩子与异性伙伴的拥抱亲吻有大人异性之爱的成分，他们只是在表达彼此的喜欢和接受。因此，我们应该引导孩子正确与异性相处的方法，让孩子学会尊重自己，尊重别人，这样才能为孩子将来更好地融入团体打下良好的基础。

特别提醒：

　　当我们问孩子"你是男孩还是女孩"的时候，几乎所有的孩子都不会答错。这说明孩子已经有了性别的区分。我们要好好利用这个机会，帮助孩子完成性别身份的认同。

你的鼓励与信任是最好的亲子调和剂

每个人都渴望被了解，渴望被理解，孩子也不例外。激励孩子，不能只停留在表面，父母应该走进孩子的内心，多站在孩子的角度考虑问题，多一些沟通交流，多一些鼓励支持，多一些共享快乐的时光，与孩子建立良好的亲子关系，只有充分了解才能正确激励。

——张振鹏《好父母改变孩子一生的60种激励法》

熙熙3岁了，已经上幼儿园了，爸爸妈妈叫他的名字，叫好几次他都不会答应。除非妈妈说了一件他感兴趣的事情，他才会理。熙熙喜欢吃糖，爸爸叫他把扔得到处都是的玩具捡起来，他不理会。爸爸说，我这里有块糖，他就会用最快的速度跑到爸爸那里要糖吃。上幼儿园后，老师反映熙熙不听老师的话，叫他做什么他偏不做什么，老师说什么话他都不理。爸爸妈妈不明白，孩子怎么这么冷漠呢？

因为爸爸妈妈工作很忙，3岁半的薇薇从小就跟着外公外婆生活，一个星期才能见爸爸妈妈一次。后来爸爸妈妈为了方便照顾薇薇，换了工作，不那么忙了。可当他们把薇薇接到身边以后，他们发现，薇薇很少和爸爸妈妈交流，经常会自言自语。薇薇的爸爸妈妈怕女儿心理出现问题，想求助心理咨询师。

舟舟也3岁了。在他1岁多的时候，妈妈给他报了早教班，在早教班，舟舟学会了速算，认识了很多字，在智力方面表现得很突出。在他两岁多的时候，妈妈把他送进了幼儿园，可幼儿园的老师反映，舟舟很少和小朋友一起玩，对老师说的话也不爱理会，经常独自一个人坐在小板凳上。回到家，舟舟的话也很少，只有在学习的时候有一些精神气。

我们做父母的一直希望孩子有一个美好快乐的人生，和我们的关系融洽和谐。可是，我们不明白，为什么我们付出了很多，孩子却越来越冷漠，和我们的关系越来越远呢？

◎ 了解孩子为什么会冷漠孤独

从上面三个孩子的例子来分析，我们很多做父母的对孩子要求比较严格，说话的语气比较生硬，孩子犯了一点点的错误，父母的语气就会提高八度。当孩子慢慢学会了用"听不见"的方式反抗父母，就导致了亲子关系紧张，家庭气氛不和谐。

还有一个原因，0~3岁是孩子对父母的依恋期，也是孩子学习语言交流的时候。当妈妈在孩子身边的时候，孩子就会与妈妈进行面对面的交流；当妈妈不在身边，孩子就会在内心与妈妈的影像对话。如果父母在孩子很小的时候就离开他们，孩子就会越来越多地采取"内部对话"的形式。这样的对话大部分是默默无声的，有些时候孩子会说出来，就变成了"自言自语"。

另外，还有一些父母很怕孩子"输在起跑线上"，给孩子过早地报了早教班。其实，早期开发孩子的智力也没什么不好，只是一些早教公司只是在认知能力上下工夫，尤其是认字，用"很小就能认很多字"来打动家长。但专家介绍，孩子的认知能力的发展和脑部结构发育密切相关，过早地训练会违反身心发展规律，造成不良后果。这个不良后果就是不合群、情感冷漠、口语交流不畅等。3岁以内的孩子重在情感沟通，而不是智力培养，就是让孩子尽可能多地和父母待在一起。

◎鼓励与信任是最好的亲子调和剂

现在很多青少年表现出的"情感冷漠"，大多与早年"爱的缺乏"有关。我们要想让3岁以前的孩子的大脑正常健康地发育，就需要不断地进行"爱的刺激"，就是给孩子鼓励和信任，让孩子感知到父母的关爱。

当孩子因为游戏失败了闹情绪时，不要呵斥他们："不许哭，真没出息，输了还哭，算什么男子汉！再哭把你关门外去！"而是要安抚孩子的情绪，鼓励他们："失败了没关系，我们可以从头再来，妈妈相信你一定会成功的！"孩子得到了我们的鼓励，一定会树立起战胜困难的信心，并且，他们感受到父母的支持和鼓励，他们的心也会离父母更近一步。

只有我们改变了，孩子才能改变。即使孩子出现了状况也不要紧，只要孩子是在5岁之前，孩子就有很大的改变可能，关键是我们是否意识到自己的教育方式出了问题。比如，我们上面提到的薇薇，虽然没有在出生的头几年享受过父母的爱，但薇薇的父母完全可以在以后的日子里加以弥补。比如，父母要仔细观察薇薇的一举一动，如果有做得好的地方就立刻表扬，父母也可以给薇薇一些简单的指令，如去叫爸爸吃饭、帮妈妈拿勺子之类的，让薇薇感觉到父母的信任和自己的价值。她就会很快和爸爸妈妈熟络起来，关系也会日渐和谐。

特别提醒：

信任的力量是巨大的，我们要在心里坚信孩子"能行"，然后在孩子行动的时候给予鼓励，不仅能够培养孩子的自信心，拉近亲子关系，更重要的是孩子能够用健康向上的人生态度去营造属于自己的快乐人生。

--CHAPTER 03--

从被动接受到自主思考，
智能发展的加速期

3 SUI DUI LE YI BEI ZI JIU DUI LE

呵护孩子对任何新鲜事物的强烈好奇心

> 好奇行为是小孩子得到知识的一个最紧要的门径。
>
> ——陈鹤琴

安安的妈妈是老师，暑假里，安安跟妈妈去了乡下的外婆家。安安对外婆家的一切都很感兴趣。一会儿去鸡窝里看看鸡有没有下蛋，一会儿又和外公去喂鸽子，忙得不亦乐乎。外婆家住的是老房子，太黑了，安安注意到外婆的电灯开关和自己家的不一样，自己家电灯开关是按的，而外婆家是用一根绳子拴着，一拉绳子灯就亮了，又一拉就灭了。安安很好奇，就不停地拉。妈妈大声地训斥他："不许再拉了！一会儿灯泡就坏了！"然后强行把安安抱走。

优优两岁半了，他是一个聪明的男孩。平时爸爸喜欢给他放一些少儿的光盘，一次，爸爸不在家，他就拿出光盘想自己看。他拿着光盘使劲往 CD 机里塞，鼓捣了好一会儿还没搞好，他就去拿家里的小锤子敲。正在敲的时候，爸爸回来了，看到这情景，上去就把优优手里的锤子夺了下来，不顾优优的反抗，把他抱到卧室揍了一顿。

我们好像都有过这样的经历，有时候孩子把盐混在白糖里，或者把自己的玩具拆得七零八落，或者用彩笔把墙涂花，或者把厨房里弄得到处都是水……如果这时候恰逢我们心情不大好，很可能就会对孩子的

"坏"行为大吼大叫，有时我们认为孩子做得过火了，还会打上几巴掌。

其实，大多数情况下，我们冤枉了孩子，这不是孩子故意搞破坏，是因为孩子有强烈的好奇心，想通过自己的尝试来一探究竟。

◎了解孩子为什么会有强烈的好奇心

儿童具有好奇心、求知欲，是他们将来事业成功的重要基础之一。人天生具有学习的能力，因为3岁左右的孩子已经具备独立的行动能力，他们对外界任何新鲜事物都有强烈的好奇心。他们迫切地想通过自己的观察、尝试去探索、学习，并从中获得极大的满足和成就感。

3岁左右的孩子开始由形象思维向抽象逻辑思维发展，他们的观察力、想象力、记忆力、注意力、创造力以及语言表达能力等方面都有质的飞跃。他们在日常生活中不断探索、尝试，逐渐由被动地接受发展到自主思考。这个时期，是孩子智能发展的加速期。孩子每一个看似"破坏"的行为背后，都潜藏着巨大的求知欲和创造力。

◎端正对孩子好奇心的看法和态度

如果我们像上面两个例子中的爸爸和妈妈一样，就极有可能扼杀了孩子的求知欲和好奇心。孩子的好奇心转瞬即逝，错过了最佳的时期，很可能孩子一辈子都没有创造力，只知道被动接受知识，很少享受到探索的快乐和成功的幸福感觉。

国外一项调查表明，孩子对世界上的任何事物都有可能产生好奇之心，他们对实际生活中各种现象的记忆，要比从任何教科书或者电视、图画上听到看到的要深刻得多。

因此，我们做父母的一定要端正对孩子一些顽皮行为的态度，尊重孩子的求知欲望，不要用成人的思维束缚孩子，要站在孩子的角度思考问题，对孩子提出的疑问要耐心解答，正确引导，不要一上来就呵斥。

◎如何呵护孩子对任何新鲜事物的强烈好奇心

　　孩子对外界事物很无知，好像他们对所有见到的、听到的、闻到的、摸到的都感兴趣，我们看到孩子的这种表现，应该欣慰：我的孩子拥有多么强烈的好奇心啊！但我们也会烦恼，如何使孩子在不受伤害的情况下保持最大的好奇心呢？

　　要无条件地满足孩子的好奇心。如果孩子想模仿大人操作东西，我们与其怕他毁坏东西，不如教给他使用方法。比如，妈妈在厨房忙碌，孩子也进去"添乱"，这时，我们就可以给孩子安排一些他力所能及的事情，比如洗西红柿、黄瓜，帮妈妈拿筷子、勺子等。这不仅能让孩子了解一些简单的家务，满足孩子的好奇心，还能培养孩子良好的人格品质。

　　多带孩子出去走走，在家里为孩子提供能够动手动脑的机会。周末的时候，我们可以带上孩子去公园、动物园、游乐场等，让孩子多了解外界的事物，让孩子的心灵与外界进行交流。孩子的视野扩大了，就会激起更加强烈的好奇心，进一步去学习、探索这个陌生的世界。在家里，我们除了要满足孩子帮大人做事的愿望，还可以利用一些孩子玩腻的玩具，或者手边的工具，鼓励孩子动手操作，创造出一些东西。

　　要耐心解答孩子的问题。当孩子问我们一些问题时，我们不可以说"你还小，等长大了就明白了"，要认真对待孩子的问题，耐心地解答；我们没办法解答的时候，就和孩子一起动手寻找答案。这样就会大大保护孩子的好奇心和求知欲。

　　我们要保持一颗童心。我们要在孩子面前做一个童心未泯的大孩子，和孩子一起去探索发现。比如和孩子一起观察蚕宝宝的生活，一起动手拆玩具、组装玩具等。

特别提醒：

  3 岁孩子有很强的好奇心，我们要全方位地呵护孩子的好奇心，但一定要保障孩子的安全。对于一些不安全的因素，我们有必要对孩子讲清楚，或者和孩子一起尝试，教会孩子保护自己。

孩子越爱提问，表明他们对生活越是用心

> 做父母的无论有多忙，都应该做到孩子问什么，就回答什么。在向孩子传播知识和方法时，绝不能嫌麻烦、敷衍塞责、应付了事，一定要真实，要合理。如果培养出来的人辨别不出人间的好坏和善恶，对世界没有思考和认识，这类人越多，就越成为社会的累赘，他们不会给别人带来任何益处。
>
> ——老卡尔·威特
> 《卡尔·威特的教育》

耳边总是听到一些家长抱怨，自己家的孩子要么只是一味地死记书本知识，要么就是学什么东西都不深入、不认真，不愿意主动去探究一些问题的答案。当这些家长发出此类抱怨的时候，是否想到过：你的孩子曾经多么的好学，他们曾经追在你的身后，不断地向你问这问那，只不过你当时或许是因为太忙，或许是因为心烦，忽略了孩子的提问，甚至还会不断地对孩子的提问行为进行斥责，于是孩子在不断的碰壁过程中学会了沉默和对问题的茫然。

其实，从两三岁起，孩子就有了自主思考的能力，提问则是具体的表现之一。他们开始咿咿呀呀地向大人提问，而且随着生活范围的扩大以及对事物了解程度的不断加深，他们的问题会越来越多，还千奇百

怪，几乎囊括了世间万物。

"妈妈，树叶怎么都落了？"

"妈妈，月亮为什么有时候是圆圆的，有时候又是弯弯的？"

"爸爸，汽车为什么能跑得那么快？它怎么又会停下来呢？"

"爸爸，天上的神仙吃什么？"

家长是孩子最重要也是最早的生命导师，面对孩子的提问，家长应该怎么做？

◎了解孩子为什么会有那么多的"为什么"

孩子对任何事物都有好奇心，但是有好奇心并不代表他们会进行主动的思考，只有当孩子对自己好奇的事物或现象提出具体的问题时，才代表他们有了真正的思考——他们会先自己想，在想不明白之后便会提出自己的疑问，当疑问被重视并解决之后，他们才会恍然大悟：原来是这么回事。这种思考—提问—了解的过程，就是孩子学习和成长的过程。

所以，当你的孩子总是有一个接一个的"为什么"的时候，你不要感到不耐烦，更不要因此而对孩子敷衍了事，而应该为他感到自豪，因为能够针对具体的事物或现象提出问题，代表你的孩子具备了自主思考的能力。而且，如果你能对孩子的问题进行严谨而合理的回答，那么，将来你的孩子就会拥有他们所应具备的智能。

◎对待孩子的提问一定要严谨和耐心

听到孩子的提问一定要想清楚再回答，不要因为孩子年龄小和不懂事就糊弄他们。相反，正是因为他们年龄小和不懂事，父母更要严谨而耐心地对他们予以启发和指导。

父母应该真实合理地回答孩子提出的问题，只有这样，才能帮助孩子掌握知识、开发智能。对待孩子的提问要严谨，切忌不懂装懂。如果父母一时不知道问题的答案，就如实告诉孩子，但不要就此放过教会孩子知识的机会，要和孩子一起寻找解决问题的方法。

对待孩子千奇百怪且接踵而来的问题，父母一定要有充分的耐心，不要拿你二三十年的经历和知识去要求3岁左右的孩子，他们的人生才刚刚开始，他们需要你的不断引导和培养。对于如下说法，作为父母切忌轻易说出。

"怎么见什么问什么，烦死了。"

"这么简单的事情你都不明白，真是笨死了，以后不要再问我这么简单的问题了！"

对于孩子不停地问这问那的行为，作为父母不但要保持足够的耐心，还要发自内心地感到高兴，更要抓住时机，绝不要错过培养孩子自主思考的有利时机。

◎抓住提问契机，启发孩子积极思考

当听到孩子提问时，一定要抓住这样的契机。孩子具有天生的好奇心，好奇心会驱动孩子展开思考和分析，这是孩子学习的内动力，也是孩子各方面智能得到充分发展的前提。如果孩子的好奇心得不到应有的保护，那么他的好奇心就会渐渐失去。所以，当孩子有问题时，父母一定要重视，要耐心地对他进行启发和引导，和孩子一起探究问题、解决问题。例如：

"宝贝，这个问题很有意思，爸爸小时候也对这个问题感到好奇……"

◎激发问题意识，鼓励孩子主动提问

孩子能够针对具体的事物或现象提出问题，说明他们已经在头脑中有了自己的想法，提问的过程即思考的过程。此时，如果家长能给予孩子充分的鼓励，并引导孩子自主思考，那么孩子的问题意识就会越来越强，今后有了问题他们就会更加乐于思考和提出。例如：

"孩子，用你聪明的脑筋想一想，树叶是在什么时候开始变绿的？"

"宝贝，在解决这个问题之前，妈妈想先问一下，你是怎么想到问这个问题的？"

而对于孩子自主思考的答案，对错并不是最重要的，最重要的是孩子要敢于提问、乐于提问，并能在提问过程中形成自己的自主思维，这对于提升孩子的思考能力、分析能力及解决问题的能力都十分有益。

特别提醒：

两三岁是好奇心和思考力培育的关键时期，如果这时孩子的提问行为得不到鼓励和重视，那么一旦错过这样的时机，再想返回来培养孩子这些方面的智能，几乎是不可能的，因为生命的成长是不可能逆转的。

拆坏的东西远没有孩子的探索欲重要

　　著名教育家陶行知先生曾碰到这样一件事。一位母亲对他抱怨说，她的儿子非常淘气，把一块贵重金表给拆坏了，她把儿子打了一顿。陶行知先生当即说："可惜呀，中国的爱迪生让你给枪毙了。"陶行知先生的这番话确实道出了目前在家庭教育中，父母无意识地扼杀孩子可贵的好奇心的严重性，这直接影响到孩子创造性的形成。

——胡锋《父母习惯影响孩子一生》

　　拉拉妈妈的手里拿着一些闹钟的零件，边走边叫："拉拉，你又在鼓捣什么？你看你把闹钟都拆成什么样子了！"

　　妈妈走进拉拉乱糟糟的房间，拉拉赶紧把手里的东西藏在身后，妈妈放下手里的东西，一把拽过拉拉的手，原来拉拉正在拆卸爸爸的高级剃须刀。妈妈劈手夺过来，对着拉拉大吼："你这个坏东西，你知道爸爸的剃须刀多贵吗？你竟敢拆了，看爸爸回来不揍你！"拉拉吓得大哭起来。

　　烁烁的妈妈买了一部新手机，功能好，款式新，妈妈很喜欢。一天晚饭后，爸爸妈妈在沙发上边看电视边聊天，聊了很长时间。妈妈忽然想起孩子今天没来"捣乱"，到儿子房间一看，烁烁正摆弄妈妈的新手机，新手机已经被拆得不成样子了。妈妈不由得对烁烁发了脾气，爸爸过来一看，扯过儿子就是一巴掌。

我们很多父母都有过这样的经验：刚给孩子买的电动汽车，没过几天就被孩子拆成一堆零件了；从超市花很贵的价钱给孩子买的芭比娃娃，孩子却把她的裙子扯下来，头发也弄得乱蓬蓬的，胳膊也扭了……我们看了不免痛心，忍不住要吼孩子几句："这么贵的东西都叫你弄坏了，以后再也不给你买了！"

3岁的孩子总不叫我们省心，我们心底都有个疑问：孩子为什么这么爱拆东西呢？

◎了解孩子为什么爱拆东西

对自己感兴趣的东西，孩子总喜欢拆开看看，孩子在拆的时候，不会想"我这是在破坏"，这是孩子学习、探索的一种表现，他们想看看"车子为什么会动""剃须刀怎么就能刮胡子""手机里是什么样的"……他们很专注地沉浸在自己喜欢的事物里，并努力想通过自己的双手去探个究竟。

孩子爱拆东西，有些时候是好心办了坏事。他们的出发点是好的，但由于自身的能力有限或经验不足，结果却往往事与愿违。比如上面例子中的拉拉，他觉得自己能把家里的闹钟和爸爸的剃须刀修好，才动手拆卸，结果却只会拆不会装。

还有一些孩子拆卸东西，并没有意识到自己这种行为带来的后果，他们只是对活动的过程感兴趣。比如孩子可能会把刚买的芭比娃娃的裙子扯下来，要自己帮她换衣服，还会把芭比娃娃的胳膊扭下来，要帮她把衣服换上去。

◎如何呵护孩子的好奇心和探索欲

我们首先要做的，就是理解和支持孩子的想法。我们要明白，孩子

拆坏的东西远远没有孩子的探索欲重要。孩子爱拆东西不是破坏欲强或者是和我们作对，而是出于强烈的好奇心和探索欲望。对于一些结构精巧、会说会动的玩具，孩子更为好奇，他们想拆开来看看里面到底是什么东西，结果拆散后却装不好了。对于孩子这样的行为我们不应该斥骂和惩罚，否则就会扼杀孩子难得的探索欲。我们要支持孩子的做法，如果孩子没有把特别贵重的电脑、数码相机拆坏，我们就没必要限制孩子。

鼓励孩子的行为，为孩子提供必要的条件。孩子喜欢拆东西，我们就给孩子买一些易拆卸的玩具，让孩子在拆玩具中增长知识。当然，如果我们感兴趣，同孩子一起拆卸的话，就会极大地激发孩子的探索欲望。

当然，为了孩子的安全，我们还要给予孩子必要的指导，让他们远离电灯、插座、电饭煲、电磁炉等带电的东西。我们要告诉孩子，会拆也要会装，鼓励孩子把拆卸的东西恢复原样。如果孩子小还不能这样做，我们就要和孩子一起把拆卸的东西恢复原形。

拆坏的东西远没有孩子的探索欲重要，就好像孩子永远比任何物质都重要一样。孩子拆的过程就是思考、探索的过程。所以，我们一定不要阻止孩子探索的欲望。

特别提醒：

当3岁左右的孩子开始喜欢拆卸东西的时候，我们要理解并支持他们的好奇心和探索欲。如果我们担心孩子拆东西上瘾，把家里的贵重物品都拆了，我们就把贵重东西都收起来，或者给他们零钱，或者带他们亲自去买，让他们知道要拆的东西不便宜，就会买一些便宜的玩具或小玩意儿拆卸了。

切勿错过学习语言的最佳时期

儿童早期多语言的熏陶特别有利于建立和增强其日后学习其他语言的能力。语言学习的"敏感期"是从出生到6岁，而等到孩子上小学或初中后再开始学习语言，已经浪费了最宝贵的学习时间，而使得第二语言的学习成为学生的更大挑战。

——美国蒙台梭利协会会长白玛琳博士

4岁半的龙龙内向、乖巧，很听话，就是不爱说话。每次当他有什么要求的时候，总是对妈妈打手势，嘴里有时候会有"啊""哦"的发声，大多数情况是招手、点头、摇头、跺脚、摆手、晃动身子等动作。妈妈感觉与他交流很费劲，总是像挤牙膏一样，问一句，他答一句，甚至，有时问他，他也会打手势。对于龙龙这样的表现，爸爸妈妈很是担心。

5岁的清清上幼儿园中班。在幼儿园里她一般都很安静，很少与人说话交流。老师问她问题，看得出来她很着急，就是表达不出来。即使有些时候结结巴巴地回答出来，脸早就涨得通红了。

当孩子含糊不清地喊出第一声"妈妈""爸爸"的时候，我们是多么欣喜，恨不得天天守在孩子身边，哄孩子笑，逗孩子说话。等到孩子长到两三岁，已经能够说上完整的句子，我们却懒得和孩子讲话了，不愿再拿出时间和孩子交流。上面的两个例子都是孩子语言表达上有问题，之所以会出现这样的状况，是因为父母错过了孩子学习语言的最佳时期。

◎ 了解什么是学习语言的最佳时期

有些做父母的自以为很懂孩子，只要孩子一哭闹，手一指，刚刚有所表现，还不能语言流畅地表达，我们就帮他把事情做了。这时候，我们忽略了让他说，让他表达出来再满足他的要求。

其实，两三岁是孩子语言发展的关键期。这个时期，孩子不仅词汇量迅速增加，而且还能掌握很多种复杂的句式，他们对语言的理解也更深刻，能够针对不同的语境进行交流。心理学研究表明，幼儿学习语言的过程正是他们心理迅速发展的过程，学习语言和思维发展是相互影响、相互作用、相互促进的。儿童心理学指出，从1岁半到3岁末的这个时期，是幼儿语言活动积极发展的阶段。随着孩子理解语言能力的发展，语言表达能力也很快地发展起来，语言结构也更加复杂化，表达能力的发展又为孩子的理解能力提供了重要条件。在此相互作用下，使得孩子的语言发展呈现跃进的状态。

如果在这个阶段注意培养孩子的语言交流能力，引导他们多说话，多表达自己内心的看法，他们的语言能力将得到从量变到质变的飞跃。但如果我们错过了孩子学习语言的最佳时期，就会出现上面例子中两个孩子所表现出的状况。

因此，我们要抓住孩子学习语言的最佳时期，积极发展孩子的语言能力；不要错过孩子语言发展的关键年龄，使孩子形成在众人面前羞于表达、不善言谈的性格特点。

◎ 给孩子发展语言能力的机会

当孩子不爱说话的时候，我们要经常和孩子一起谈话，比如教孩子背古诗、唱歌谣，给孩子讲故事，然后让孩子复述等。

我们也可以陪孩子一起玩语言游戏，像"请你像我这样说"或"说反话"的游戏，引导孩子多说话。

给孩子适当的赞美和鼓励。我们要适当赞美孩子说话声音好听，告诉孩子："妈妈很喜欢听你说话，你说话真好听，声音又脆又甜。以后要多多说话给妈妈听哟。"

当孩子问我们问题的时候，不要只是简单地告诉他们答案，要积极巧妙地回答，引导他们多说话、多思考。

◎积极发展孩子的语言能力

让孩子多阅读，在儿童已有的词汇和经验的基础上，扩大和丰富孩子的语言。因为孩子处于语言发展关键期的时候，他们对说话很感兴趣，经常模仿大人说话。大人说一句，他们就说一句；有时大人说的话比较长，他们就模仿着说最后几个字；他们听到什么嘴里就说什么；有时还自言自语、语无伦次、毫无章法、漫无边际地说，这是孩子自觉练习说话的表现。在这个时候，我们不要埋怨孩子话多、啰唆，更不能不耐烦地制止、大声训斥，这样只会压制孩子说话的欲望，是违背孩子心理需求、妨碍孩子语言发展的不良做法。我们要帮助孩子把语言条理化，不断锻炼孩子的逻辑思维能力和表达能力。比如，我们要有意识地让孩子描述见到的事实，并语气和蔼地纠正孩子的用词错误和多余重复的话。如果孩子讲得清楚明白，我们就要及时表扬鼓励。这样，孩子就能逐步养成正确的语言表达习惯。

另外，不要嘲笑孩子语言中的语法和逻辑错误，更不能重复强化，这样会使孩子错误的语言固化下来，难以改正。我们要进行正确的示范。因为3岁左右的孩子重要的语言特点就是模仿，他们辨别、理解语言的能力差，如果孩子周围的人在语言上有错误，就会像镜子一样在孩子身上反映出来。为了孩子的语言美，我们要鼓励孩子讲普通话、文明

话，尽量不要让孩子和说话粗鲁、口齿不清、结巴的人接触，最好让孩子多听广播，向新闻联播的主持人学习语言。

特别提醒：

　　孩子说的过程就是思考的过程，所以说，良好的语言能力是孩子智力发展的重要部分。我们一定不能错过孩子学习语言的关键期。在这个阶段让孩子学习一门外语是很有必要的，对于任何语言来说，这个年龄的孩子学习都不算早。

教孩子用眼睛捕捉事物，培养观察力

> 我既没有突出的理解力，也没有过人的机智，只是在观察那些稍纵即逝的事物并对其进行精细观察的能力上，我可在众人之上。
>
> ——达尔文

在小区的花园里，睿睿发现花坛里有一只蜗牛，他兴奋地招呼一起玩的小伙伴来看，妞妞不认识，便好奇地问："这是什么呀？"睿睿自豪地说："我妈妈说，这叫蜗牛。"另外两个小伙伴也不示弱，说："我也知道。"几个小伙伴就蹲在花坛里看着蜗牛一点点地移动，妞妞不小心碰了一下，蜗牛整个身子就缩进壳里面。

看孩子们都蹲在花坛里，妞妞妈妈喊他们："花坛里多脏啊，赶紧出来!"妞妞说："我们在看蜗牛。""蜗牛有什么好看的？赶紧出来，多不卫生啊。"妞妞妈妈把妞妞拉了出来。

这些天3岁多的梅梅等妈妈一做饭就跑到厨房，跟在妈妈屁股后面，看妈妈淘米、洗菜、炒菜……梅梅家的厨房不大，妈妈觉得有梅梅在很麻烦，总想让她出去玩儿，可梅梅就是不出去。

妈妈们好像都见过这样的情境：孩子蹲在地上看蚂蚁找食物，一看就是半个小时以上；在草地上看到一只小虫，也会观察老半天……有时，我们会觉得孩子的举动幼稚、可笑，其实，我们不明白，孩子是在

用眼睛感知未知的世界。他们具有超强的观察力。

◎了解观察力对孩子有多重要

孩子从出生起，就会借助听觉、视觉、味觉、触觉等来感知外部的世界，了解周围的环境。3岁前孩子靠潜意识来感知周围的事物，3~6岁，孩子就能通过感官来辨别身边的事物。观察力是孩子感知觉发展的最高形式。它是在视觉能力、听觉能力、触觉和嗅觉能力、方位和距离知觉能力、图形辨别能力、时间认识能力等多种能力的基础上逐渐发展起来的。一般来说，3岁左右是孩子初级观察能力开始形成的关键期。

从字面上讲，"聪明"的含义就是耳聪目明，所以，一个人智力好，最关键的一点就是具有以感知为基础的超常的观察力。达尔文说："我既没有突出的理解力，也没有过人的机智，只是在观察那些稍纵即逝的事物并对其进行精细观察的能力上，我可在众人之上。"

观察力是人类智力结构的重要基础，是思维的起点，是形成智力的重要因素之一，是孩子学习成败的关键。

◎孩子观察力的特点

孩子的观察力缺乏稳定性。孩子一般不会有目的地自觉观察，他们常常会被某些突然发现的事物吸引，受个人兴趣或当时的情绪影响，并且会在观察的过程中忘记观察任务，或频繁地更换观察对象，也就是我们平时所说的"三心二意"。

孩子观察的持续时间短。实验表明，3岁左右的孩子持续观察图片的时间大约只有5~6分钟，随着孩子年龄的增长，时间会有所延长。如果是他们不感兴趣的事物，观察时间会更短。

孩子观察缺乏系统性。科学家通过研究发现，3岁左右的孩子在观察图形时，他的眼球运动的轨迹是杂乱的。随着年龄的增长，孩子的眼球运动轨迹越来越符合图形的轮廓。这就说明，3 岁左右的孩子在观察事物时还缺乏系统性。

◎采用一些方法教孩子用眼睛捕捉事物，培养其观察力

孩子的观察力是智慧的门户，科学研究的结果告诉我们，大脑所获得的信息，有 80%~90% 是通过眼睛和耳朵吸收的。所以，我们在孩子很小的时候就应该培养他们的观察力，教给他们用眼睛捕捉周边的事物。我们可以采用下面的方法：

教给孩子按顺序观察。在前面提到孩子的观察缺乏系统性，我们就要有意识地训练孩子，教给他们按顺序进行观察。比如，我们让孩子观察一棵树，可以按照从上到下，或者从下到上的顺序，然后再按照由远到近的顺序观察。这样，孩子的观察才不会杂乱无章。

在游戏中培养孩子的观察力。和 3 岁左右的孩子做游戏，永远都不会遭到排斥。我们可以利用游戏来培养孩子的观察力。比如，带孩子户外活动时，给孩子一个放大镜，蹲在草丛里或小路旁，观察蚂蚁搬家、虫子蠕动、刀螂前腿上的构造等，也可以看看叶子的纹路、花瓣的结构……总之，可以观察孩子感兴趣的一切东西，我们在旁边指导孩子要注意观察什么，要怎么观察。这样，孩子就会延长观察的持久性，增加稳定性。

让孩子有计划地观察。在孩子观察之前，我们要先和孩子商定好观察的目的，比如上面例子中提到的梅梅爱看妈妈做饭，妈妈就可以告诉梅梅看妈妈淘了多少米、放了多少水、开火多长时间，等等，也可以让她观察怎么洗菜、切菜、炒菜，还可以让孩子帮着做一些事情。这样，孩子在观察中不仅学会了做饭，还提高了观察力。

特别提醒：

　　因为 3 岁的孩子具有不稳定的个性特点，所以，我们要清楚，观察力的培养不是一朝一夕就能做好的，而是需要日积月累，需要我们有足够的耐心，需要我们在日常生活中创造机会，这样孩子才能养成良好的观察习惯。

让孩子亲自触摸或体验，增强感受力

孩子生下来的时候没有意识和意志，只有感觉，但这时的感觉器官尚未成熟，感觉到的只是快乐和痛苦。因此要帮助儿童去发展他的感官，如通过触摸了解物体的冷热、软硬、轻重、大小；在活动中获得远近的观念；在行走中学会判断距离等。

——卢梭《爱弥儿》

如果孩子在家里的墙上涂上了乱七八糟的颜色，还笑呵呵地向我们炫耀，我们会是什么态度呢？是大声呵斥他们，还是和颜悦色地问他："宝贝，你画的是什么？"或许，因为我们问了这样一句话，孩子说不定会成为第二个"达·芬奇"呢。

电视里传出很有节奏的音乐，我们看到，孩子正撅着小屁股跟着节奏扭呢！当孩子扭得正起劲的时候，可千万不要笑，如果我们的笑让孩子看到，说不定会扼杀一个"杨丽萍"呢！

一天，父母发现孩子小心翼翼地捧着他的"百宝箱"回家，兴致勃勃地拿起一只绿虫子向他们展示他的"战利品"，这时父母千万不要表现出害怕，大叫着让孩子把虫子扔掉。这样做的结果有可能会葬送一个"达尔文"。

我们不明白，孩子怎么会有这些可气、可笑、可怕的行为呢？

◎了解孩子为什么会有让我们哭笑不得的举动

　　孩子从一出生开始，就会对外面的世界充满好奇，他们用嘴吸、咬，用手抓、摸，用耳朵听声，用眼睛看颜色。在各种各样的体验中，他们像一块海绵一样大量又迅速地吸收着各种信息，不断充实着自己的大脑。当孩子开始灵活地使用双手时，他们就在触摸和体验中，不断增强自己的感受力。

　　3岁左右的孩子正处于具体形象思维和初步抽象概括思维阶段，这个时期，他们不会想好再做，而是先做后想。比如他已经能够分辨出红、黄、蓝等颜色，他们会用这些颜色画出一些稀奇古怪的图形，然后他会告诉我们：这是小草，那是小马，那是云朵。

　　这个时期的孩子对物体的形状、颜色有着很大的兴趣，他们会用手去触摸，亲自去体验，来了解东西的软硬、冷热等。在体验中，孩子的感受力有了很大提高。他们对声音有着独特的偏爱，尤其喜欢柔和的音乐，他们会根据音乐的节奏做出各种各样的动作。有时候我们会发现，孩子在一夜之间就成了舞蹈家。这是孩子在接受了无数信息之后，把自己的体验用肢体表达出来。而在这些肢体语言中，孩子进一步加深了对音乐的感受力。

◎这些体验和触摸对孩子有何好处

　　科学表明，孩子一出生，就拥有140亿个脑细胞，这个数量一直保持到他长大成人也不会有太大改变。虽然他的脑细胞总量不变，但他的大脑会"长大"。这是由于大脑的神经细胞所生出的树状"树突"会生长并相互错结延伸。如果在孩子出生后的前3年让孩子的大脑接受刺激，然后去反射学习新的事物，树突就会不断增加延伸，脑部发育就会越来越发达了。

　　因此，让孩子在3岁之前，不停地接受刺激，从吃手指、看彩色气球、手抓东西到听音乐、在墙上画画、出去游玩等，都会对孩子的大脑构成刺激，这样，孩子的大脑就会越来越聪明了。

我们说，0~3岁的孩子大脑的发育几乎决定了孩子长大成人以后脑发达的程度，所以，我们要把握住这段时间让孩子多体验、多触摸，这对孩子的脑部发育具有很重要的作用，甚至可以起到事半功倍的功效。

◎让孩子亲自触摸或体验，增强孩子的感受力

首先，我们要端正态度，对于孩子自发的体验不要大惊小怪，不要呵斥或嘲讽，要积极鼓励，要懂得孩子的每一次体验都在刺激大脑，增强感受力，促进大脑的活力。

其次，我们要放下"好为人师"的架子，不要总以为我们比孩子聪明，在孩子还没有体验之前先告诉孩子如何如何做。这样，就会给孩子套上无形的枷锁，孩子就会失去体验的兴趣，他的感受力、想象力受到压制，就会变得越来越"懒"了。

让孩子多尝试，增加其感受力。我们平时可以让孩子触摸不同的东西，让他通过手部感觉来了解物体的硬度和光滑程度。比如，教孩子认识瓶子，我们为孩子找来各种各样的瓶子，让孩子看一看，让孩子观察形状；然后掂一掂，感觉一下瓶子的重量；再摸一摸，知道瓶子的手感是光滑的还是粗糙的；最后敲一敲，听听声音是什么样的，也可以让孩子闻闻瓶子里面是什么味道。整个活动都用到了各种感官，孩子好动的天性和好奇心也得到了满足。

多带孩子到大自然中去。自然界有很多新奇的东西吸引孩子们去发现和探索，我们带孩子出去，让他们与动物、植物亲密接触，让他们去摸、去看、去听、去体验，这样的经历一定会大大增强孩子们的感受力。

特别提醒：

3 岁左右的孩子顽皮、好动，有一种"大无畏"的精神，很多东西他们都要摸一摸、碰一碰。如果没有危险，我们就让他们去摸去碰好了，因为只有亲身体验，才能刺激到大脑，才能让孩子更聪明。

引导孩子进行动作练习，提升运动智能

每个正常的人与生俱来都拥有多项智力潜能，教育的作用在于是否使得每个人的智力潜能得到充分发展，而运动智能是人类认知的基础。运动智能对其他智能有重要的影响，在幼儿生活中更是有着举足轻重的作用。

——美国哈佛大学心理学教授霍华德·加德纳

芮芮是一个 3 岁半的小男孩，长得虎头虎脑，很可爱。但是芮芮有一个和其他小朋友不一样的特点，就是他好静不好动。妈妈让他跟小伙伴一起玩游戏，他总是说："我脚疼。"就远远地看着别人玩。平时出门，他总是喜欢爸爸背着，或妈妈抱着，还喜欢坐车，走一会儿就喊累。看着其他小朋友又跑又跳，爸爸妈妈很是着急，原来还挺爱动的，儿子现在是怎么啦？怎么能让现在这个"懒"儿子喜欢上运动锻炼呢？

最近，牛牛的妈妈很发愁：3 岁半的牛牛体重已经接近 50 斤了。牛牛喜欢吃汉堡、薯条，每周都要带他去好几次肯德基。平时他也不运动，吃完饭就躺在沙发上，要不就看动画片，或者看一些漫画书，很少跟其他小朋友一样下楼去运动。爸爸妈妈担心再这样发展下去，牛牛会成为一个名副其实的小胖子。

随着经济条件越来越好，小胖墩也越来越多。据一些专家检测，糖

尿病、心脏病直逼孩子们。主要原因就是现在的孩子摄入热量过多，又不参加体育锻炼，导致身体肥胖，过早患上了这些"富贵病"。

◎了解孩子为什么不爱运动

孩子运动的时候肌肉发展是从自发性到自主性的过程。自发性指的是孩子身体发育到一定程度，他们自然就有了对运动的内心需求。一两岁的孩子处在运动发展迅速增长的时期，受到生命成长内在动力的驱使，孩子总想自己运动、自己动手，妈妈抱着的时候，他们都要下来自己走，饭要自己吃，等等，这样的做法是满足机体生长的需要。

当孩子过了动作发展迅速增长期之后，他们似乎变得"懒"起来，很多事情即使自己会做也不做，这个时期的孩子用各种方法让爸爸妈妈抱。这就预示着孩子运动锻炼的发展将要进入自主性的过程。自主性需要意志力的支配，自然也就需要我们成人的教育和培养，也就是说让孩子养成运动锻炼的好习惯。不只是让孩子吃好，还要帮孩子做好相应的心理准备，主要是让孩子有动起来的兴趣、情绪和好奇，以及运动给他们带来的成就感、和同伴交往的满足感，这样的运动锻炼才能让孩子养成自己主动去做事情的好习惯。

除了上述一些生理和心理的原因，孩子可能还觉得出去玩不如在家里舒服，或者怕生、羞涩，还可能是因为孩子不喜欢我们让他们做的运动，他们还没有找到适合自己的运动。对于一些身体较弱的孩子，少运动就是体质原因了。

我们首先要明白孩子不爱运动的一些原因，才能"对症下药"，帮助孩子养成运动的好习惯。

◎运动对孩子有何重要性

运动锻炼能提高孩子的智商，也就是提高运动智能。我们都知道，体育锻炼能够促进孩子的身体发育，增强体质，让孩子看起来天真活泼，充满无限的生命力。不仅如此，运动锻炼还能积极地促进孩子的智力提升、自我意识的发展和心理健康。现代脑科学研究证实：人体器官的每一块肌肉，都在大脑皮层中有着相应的"代表区"，幼儿运动锻炼的早期经验越丰富，正在发育中的大脑就越能得到有益的刺激。运动锻炼能丰富孩子的感知觉，尤其是能发展他们的空间知觉，这是孩子探索世界和抽象思维的基础。喜欢运动的孩子更加自信，自我评价也更高，容易树立起在同伴中的威信，懂得与别人合作，他们阳光、积极的心态能更好地适应环境。

有些孩子在上学之后出现了学习障碍，注意力不集中，不能配合老师的状况，一部分还检测出可能患有感觉统合失调，其中一个重要的原因就是童年的生活缺乏足够的运动所致。

因此，运动智能是多元智能中很重要的一项，它的价值是其他任何教育都替代不了的。

◎引导孩子进行动作练习，提升运动智能

帮孩子选择适合自己的运动项目。3岁左右的孩子主要以身体练习为主，比如跑、跳、拍球、跳绳、骑车、跳舞、滑板、游泳、滑旱冰等项目，我们要让孩子自己选择他感兴趣的项目，也要根据孩子的生理特点来帮助他们选择适合他们的运动。

在游戏中做一些动作练习。我们不能把孩子当做运动员一样让其单调枯燥地训练，这样只会扼杀孩子的积极性。例如，我们可以和孩子一起玩老鹰捉小鸡的游戏，也可以编一些情境故事："你是一只大老虎，我和爸爸是小绵羊，你来抓我们。"还可以和孩子一起玩"跳山羊"的游戏等，把一些跑、跳的动作练习融入到游戏中，这样孩子才不会觉得枯燥，才会爱上运动。

在生活中做一些小肌肉动作练习。运动不止跑跳等一些锻炼大肌肉的动作，小肌肉的精细动作也照样能让孩子增进运动智能，并且能在生

活中练习。比如让孩子自己洗袜子等一些力所能及的事，也可以让他做手指操等。不要怕孩子做不好，放手、放心让孩子尝试，就可以提升孩子的运动智能。

特别提醒：

3 岁左右的孩子正处于生理和心理发育的敏感期，我们要抓住机会，扬长避短地鼓励孩子，让孩子爱上运动锻炼。不仅能增强孩子的体质，还能提升孩子的智力，培养孩子的情商。

复述练习，孩子的记忆力会令你惊奇

> 记忆明显地扩大了人的认识能力，为个人的发展创造了先决条件，保证个人在一生中的和谐，并用全人类积累的经验来使人变得更为充实……我们的精神生活便是由或明或暗的记忆形象织结而成的。回忆是人现实的精神财富，是人内在的精神资源。
>
> ——苏联 N·M·罗泽特《记忆力漫谈》

晴晴 3 岁半了，是一个很可爱的小姑娘。会唱歌、跳舞，还会表演各种才艺。可最近妈妈发现，晴晴的记忆力出了问题，晴晴从幼儿园回到家来，妈妈问她：在幼儿园都学了什么呀？晴晴总是回答不出来。有时，妈妈给她讲过的事情，转眼就忘了。晴晴的表现让妈妈很担心，妈妈求助了很多人，想了解晴晴记性不好的原因。

鼎鼎的妈妈最近也经常"抓狂"，原因是鼎鼎除了吃饭穿衣磨蹭外，什么东西都记不住。一次，妈妈叫他背儿歌，他说什么也记不住那几句词。妈妈耐着性子教了他 30 遍，鼎鼎还是记不住。为此妈妈带着他去医院的发育科检查，专家说鼎鼎很正常，一点儿问题都没有。不仅如此，鼎鼎从上幼儿园到现在，几乎没有学会过一首歌。儿歌记不住，教几句古诗还是记不住，这可把鼎鼎妈妈愁坏了。

很多妈妈都为孩子记不住东西发愁，看到别人家的孩子记住了多少个字，会唱多少首儿歌，会背多少个英语单词，而自己家的孩子什么还都没学会，哪个做妈妈的不担忧呢？想尽办法增强孩子的记忆力，补锌，给孩子吃鱼、鸡蛋、猪肝，各种方法都试过了，可效果依然不见好。

◎了解孩子为什么记忆力不好

记忆力和智力密切相关，如果智力有障碍的孩子，一般记忆力也会比正常孩子差，正常孩子的记忆力大都比较好。

勉强孩子做的事情，孩子就会在心里产生阻抗，他们根本没有用心去关注我们让他们记住的东西，因为这些东西不是孩子感兴趣的，而是我们帮他们选择的，不用心怎么能记住呢？所以，就像上面例子中的鼎鼎一样，即使我们教 50 遍，也依然是没有效果的。

我们经常会以为，孩子越小，记忆力越好。其实 3 岁左右的孩子的记忆是无目的、无意识的，以短时记忆为主，他们记的一般是形象鲜明的他们感兴趣的东西和事物。但因为 3 岁的孩子缺乏知识经验，他们的记忆常常不准确。如果我们用大人的标准去衡量孩子，就会令自己非常失望，也会生出很多不良情绪，这种不良情绪投射到孩子身上，更加让他们难以记住所学的东西。

我们总担心孩子记性不好，将来就会学习不好。这也不尽然，有些孩子就是对一些游戏或活动不感兴趣，记不住是正常的。一旦他们对当前所学的东西感兴趣了，他们就自然记得又快又准了。

孩子的记忆特点往往是积累和爆发式的，有时候我们看到孩子好像没记住，可某一天他可能突然说出当时让他记而没记住的东西。所以，我们不要着急，要以一种积极乐观的心态看待孩子。

◎复述练习，可以帮助孩子迅速提高记忆力

了解了孩子记忆力不好的原因，我们就可以放平心态对待孩子记忆

力不好的问题了。这里，我们根据一些记忆规律帮助孩子做一些复述练习，就可以帮助孩子迅速提高记忆力了。

在一些早教中心，在一个阶段中，每节课安排的内容总有一些是相同或者相似的。这就是利用重复帮助孩子巩固记忆。这是根据记忆规律的时间规律（每次信息的重复输入，其维持记忆的时间是各不相同的。以外语单词记忆为例，第一次可能是几秒钟；第二次、第三次就可能由几分钟到几小时；再重复就可能是几天，甚至几个月。重复次数越多，记忆时间就越长）来安排的，利用重复强化的方法让孩子加深记忆。

我们也可以帮助孩子做一些复述练习，比如，孩子喜欢听我们给他们讲故事，并且常常让我们把同一个故事反复讲给他们听。为了加深孩子记忆，我们可以让孩子练习复述故事。刚开始，孩子可能复述不下来，是因为孩子对故事还没有完全理解，只是单纯被动地听而难以形成记忆。这时，我们可以让孩子看着漫画书给孩子讲，然后让孩子看着漫画书复述。反复几次，孩子就能记住整个故事了。

对一些简单的词汇和句子，我们也可以采用复述练习的方法。比如教孩子学英语单词"apple"，我们就可能让他复述几遍，过几分钟、几小时再分别让他复述几遍。这样，孩子就会很牢靠地把单词记住了。

特别提醒：

对待 3 岁左右的孩子，我们要有充足的耐心，不要总拿自己的孩子同别人的孩子比；可能你的孩子记忆儿歌不好，但他对数字却有着极强的记忆力！平时多帮助孩子做一些复述练习，你会发现你的孩子越来越聪明了。

利用比较游戏，学习区分各种不同

> 给孩子认识某一事物时，让他记住这事物的颜色、形状、大小等特点，然后与别的事物加以比较，看它们之间有什么差异。因为每个事物都有它独特的属性，这样当孩子掌握了某一事物的特征之后，就很容易将此事物记住了。
>
> ——《太平洋亲子网》

雯雯已经 3 岁了，可是让妈妈担心的是她还没有学会区分左右脚的鞋子。在幼儿园里，老师让做"找不同"的游戏，每次她都找不出来。一次，妈妈拿着幼儿园小朋友的合影让她找出自己和她的好朋友，半天她都没找出来，后来在妈妈的提示下，她才把自己找出来。妈妈很发愁，不知道孩子这样是不是智力发育迟缓。为此，她还专门去帮孩子测了智商，结果显示孩子一切正常。

凡凡上幼儿园小班。一次，老师让小朋友画画，其他小朋友都画红的花、绿的草，还有绿绿的树叶、棕色的树干，而他却把树叶画成了红色的，树干画成了绿色的。老师问他："你画的树叶怎么是红色的呢？"他回答："树叶就是红色的呀。"老师把这些情况告诉了凡凡妈妈，妈妈很为凡凡忧虑，她担心凡凡会是色盲。

当别的孩子都学会一些技能的时候，孩子哪怕有一点点居于人后都会让我们做父母的忧心不已。妈妈们发出疑问，孩子为什么到了 3 岁还学不会区分不同呢？

◎了解孩子为什么不会区分不同

一两岁的孩子已经开始注意到事物之间的不同了。他们开始区分出妈妈和别人的不同。但他们对事物的区分只是注意表面、明显的物体轮廓，不注意事物比较隐蔽、细微的特征，他们还不能注意到两个事物之间的关系。到了两岁左右，他们就能区分小狗汪汪和小猫喵喵的声音，能区分飞机和汽车。但如果让 3 岁的孩子比较两个相似图形的区别在哪里，他们就不大能说出来。这是和孩子的认知能力有很大关系的。

孩子在认识世界的过程中，通过体验学到了很多知识和经验，但他们还不会分门别类，只是将这些经验杂乱地储存在大脑中。所以，如果我们不遵循孩子的认知规律，看到孩子的不足就着急、训斥，就会压抑孩子这部分的潜能。

对于颜色的区分，因为孩子审美敏感期到来的时间不一样，孩子会根据自己的理解画出各种颜色的树叶。一旦他的审美敏感期到来，他们就会用正确的颜色画出美丽的图画。

孩子的发育程度也是不同的，有的孩子敏感期来得早，有些来得晚，但不等于说敏感期来得晚的孩子就是不聪明的。

◎用正确的态度对待孩子

在上面两个例子中，两位妈妈为了孩子的健康成长忧心忡忡，并且都到医院做了检测。我们可以想象，妈妈平时对待孩子很可能会带有很大的情绪，会有一些抱怨、苛责的话。这样的态度对孩子是极为不利的，会给孩子一些消极的暗示，他们可能会认为自己是笨的，自己不如别人。形成这样的意识一定会阻碍孩子的正常发展，甚至会让孩子产生自卑心理，影响孩子一生的成长。

所以，我们要端正对孩子的态度，别说孩子很正常，即使有一些缺陷我们也要鼓励他们，赏识他们，让他们发挥自己的长处，培养他们的自信心。周宏，这样一位伟大的父亲，就是用赏识和鼓励把残疾的女儿培养成一个了不起的人才的。

◎利用比较游戏，帮助孩子学会区分各种不同

只有比较才能找出事物之间的不同，对于3岁左右的孩子，我们要适当引导，利用比较游戏，帮助孩子提升认知能力。

为了让孩子学会区分大和小，我们可以选择颜色不同、形状不同、大小不同的扣子或各种豆类若干，让孩子挑出大的放在一个盒子里，挑出小的放在另一个盒子里，直到挑完为止。这样的训练能让孩子观察到物品本身的细小差别，把大的和小的区分开。

让孩子区分长短。在和孩子相处的时候，我们可以和孩子比比手掌、手指、手臂、脚印、袜子、鞋子等，告诉孩子我们的长，他们的短。也可以准备一些塑料吸管，其中一些要剪掉一些，变成长短不一的，然后让孩子按照长短不同排序。这样，孩子理解了长短的概念，在游戏中也懂得了什么是长和短。

对于3岁左右的孩子来说，懂得时间不只包括现在，还包括过去和未来，这是孩子智力提升的最重要的一步。我们要引导他们回忆前一天做的事情，让他们知道"昨天"的概念；再引导他们做好打算，让他们明白"明天"的概念。

比较是思维的基本过程之一，是孩子认知能力发展的具体体现。我们可以结合日常生活让孩子学会比较。让孩子把两个事物放在一起比一比，就能加深他们对所比较概念的理解，也能分清冷热、男女、多少、大小等很多事物的不同。

特别提醒：

我们要让 3 岁左右的孩子区分各种不同，就要采用不同的比较游戏，利用身边触手可得的物品，也可以和孩子一起动手来制作道具。孩子在不同的体验中获得各种经验，然后归类整理，并形成画面。

排一排，数一数，建立基本数的概念

幼儿期的孩子是具体形象思维占主导地位的，学习和理解抽象的数学概念往往比较困难，需要通过他们与实物的接触，对生活经验的模仿，与成人的对话而逐渐学习。如果父母用积木排成一排，让孩子数一数积木的数量，孩子马上就能目测出"7"多"4"少，非常直观地感受到数量的多少。

——华倩《家教世界》

峰峰今年 3 岁半，他的记忆力不错，妈妈带他去的很多地方他都记得清清楚楚，可是，他却对数数、背儿歌这样的事很不敏感。妈妈让他数数，他从 1 数到 19 还没什么问题，可数过 19 就不知道接 20，数到 29 不会接 30。为此，妈妈教了他不知道多少次，可峰峰怎么也学不会，妈妈急得不行，发帖在网上求助。

贞贞妈妈也在网上发帖求助："我家孩子快 3 岁了，可为什么不愿意数数呢？每次教她画画、搭积木、做手工，她都愿意学，就是不愿意学数数。我听说好像缺铁的孩子成绩会不好，我们家孩子长得胖乎乎的，小脸红扑扑的，不至于缺铁啊。这到底是怎么回事呢？"

有很多妈妈为孩子不会数数而烦恼，她们担心孩子长大之后数学学得不好，影响到将来的前途。所以拼命地让孩子学数数，还想方设法地把数字变成儿歌：1 像吸管细又长；2 像鸭子水中游……结果孩子数到 10，再往下数就困难了。

◎ 了解孩子为什么对数数不感兴趣

数字是抽象的概念，掌握起来比孩子认识一些名词要困难得多。3 岁之前的孩子，已经能区分出多和少的不同，但他们仅仅是明白量的概念，而不明白具体的数字。他们会认为，"1"就是一个事物，而其他数字要比"1"多，但不明白多多少。

在孩子两岁多的时候，我们就教给孩子口头数数，如果孩子记忆力好，他们口头数数可能会数到几十到一百。但我们要明白，这只是孩子在"背数"，并不是真正理解了数的概念。两三岁孩子的学习属于自发性学习，对一些孩子来说，单纯粗糙的数字对他们不构成吸引力，孩子对不感兴趣的东西很难集中精力，也不容易学会。如果我们强迫他学就会让孩子产生逆反心理，更不愿意学习。从上面的两个例子中我们可以看到，孩子智力一点儿问题都没有，有可能就是因为我们做父母的对孩子学数字过于急躁，采取"填鸭式"的灌输方法，动不动就训斥、惩罚孩子，弄得自己和孩子都很心烦，最后致使孩子对数字产生厌倦而不愿意学习。

还有一种可能，就是孩子还没有进入数字敏感期，以至于数字儿歌和图片都引不起他们的兴趣。如果是这样的话，父母先不要着急，要慢慢等待，等待孩子敏感期的来临。

◎ 用实物帮助孩子建立数的概念

心理学家认为，2~5 的岁孩子的数字概念发展，通常是由口头数数开始，然后是点实物数，接下来孩子能够推算出总数，最后，才是根据抽象的语言数字拿取相等的实物。数字对开发孩子的智力有着至关重要的作用，也是培养孩子逻辑思维的开端。我们教孩子认识数字，要把数字和实物数联系到一起才能让孩子产生兴趣，便于孩子更好地理解数字。

我们让孩子在生活中学数数，并且可以随时随地即兴地学。比如，我们在给孩子吃饼干的时候，可以一块一块地给他，嘴里告诉孩子："1块，两块，3块……"最后问问他手里有几块，吃下去了几块；上楼梯时是教孩子数数的好机会，让孩子一边移动脚步，一边数数楼梯有多少阶；吃水果的时候，我们也可以先让孩子数数盘子里有多少水果，家里有多少人，够不够吃……

我们还可以即兴为孩子编一些带数字的儿歌，一边还辅助着做动作。比如，你拍一，我拍一，宝贝今天穿新衣；你拍二，我拍二，宝贝今天戴个小帽帽；你拍三，我拍三，宝贝现在转3圈……

孩子长大一点儿，我们可以和孩子做一些"开小卖店"的游戏，孩子演店主，我们来演顾客，价格由孩子来定，我们拿着硬币来买孩子的"商品"。孩子说出价格后，从我们的硬币中拿出相应数量的硬币。如果孩子懂得一些加减法，也可以让孩子学习找钱。

这样的训练让孩子感觉到在数字的包围中，也不会感到枯燥无味，增加了孩子学习的兴趣，也加深了记忆，重要的是我们帮助孩子建立了基本数的概念。

特别提醒：

　　对于3岁左右的孩子，我们很多父母认为，孩子数数越多越好，甚至还在客人面前炫耀，这样的做法只会助长孩子的虚荣心，不会让孩子真正懂得基本数的意义，空洞的背诵也不会让孩子记得长久。我们还是要结合实物教孩子，用排一排、数一数的方法，让孩子建立起基本数的概念。

和孩子一起做手工，多元智能开发

人在实际生活中所表现出来的智能是多种多样的，这些智能可被区分为 7 项：语言文字智能、数学逻辑智能、视觉空间智能、身体运动智能、音乐旋律智能、人际关系智能和自我认知智能。

——美国哈佛大学教育心理学家霍华德·加德纳

励励快 3 岁半了，他是一个可爱的小男孩。他在幼儿园里人缘很好，不管是老师还是小朋友都很喜欢他，在陌生的场合他也不怯场，能很快和周围的人打成一片，愉快相处。因为他的表达能力很好，总能绘声绘色地表达自己的想法。在别人需要帮助的时候，他都乐于帮忙。他还能突发奇想地制造很多幽默，编出一些小故事。可是，励励对于数学的兴趣爱好却很低。有时老师教数数，他总是磕磕巴巴，经常被老师批评。一天，励励对妈妈说："我讨厌数数，一点儿都不好玩！"

一天，蔓蔓突然对妈妈说："妈妈，我是不是你生的?"妈妈很惊讶，问蔓蔓为什么这么问。在女儿断断续续的叙述中，蔓蔓妈妈才弄明白。原来，周末蔓蔓的小表姐来找她玩，两个人一起画画，小表姐画得像模像样，比蔓蔓画得好多了。于是，妈妈就表扬了小表姐，并叫蔓蔓向表姐学习。蔓蔓为此委屈了好几天。其实蔓蔓歌唱得非常好，妈妈却很少夸奖她。

每个孩子都是独一无二的，他们各人有各人的特点或特长。可是我们很多做父母的经常陷入"扬长不如补短"的误区，眼睛经常盯着孩子的缺点，拿孩子的缺点说事，总是希望孩子能赶快把"短板"补上去，跟上别人的步伐。

什么是"聪明"？很多人可能认为，学习好，会读会算就是聪明。如果一个孩子两岁就能算出两位数的加减法，如果 3 岁的孩子能背出 100 多首古诗，这才是聪明吗？其实，励励的表达能力、交际能力和蔓蔓的音乐表现力都非常好，这难道不是聪明吗？培养孩子就要培养他们的多元智能。

◎ 了解什么是多元智能

儿童多元智能教育理论由美国哈佛大学著名教育学家加德纳提出。这一教育理论将人的智能分为八个方面，即语言智能、音乐智能、数学逻辑智能、空间智能、肢体运动智能、内省智能、人际关系智能和自然观察者智能。其理论更注重儿童智能的全面开发。

理论指出，0~7 岁是幼儿各个智能发育的关键期，这一阶段幼儿的智能能否全面平衡地发展，直接关系到幼儿的一生。每一个人的智能组合是不同的，通过教育可以发现孩子的优势智能，从而把每一个孩子培养成富有个性的、适合未来社会发展需要的人。

多元智能理论中所阐述的各种智能，在每个人身上都有不同的组合。每个人都可能有一些智能很突出，而另一些智能较差的情况。爱因斯坦长到 5 岁还不太会说话，数学能力也不好；牛顿学习成绩很一般，这些都说明任何人都不是面面俱到的，每个人都会有自己不擅长的方面。但是，我们可以引导孩子发挥优势智能，锻炼劣势智能。

◎ 多元智能能否平衡发展

加德纳博士认为，在人的一生中，这些智慧不断受先天及后天的影响或启发或关闭；而教育最主要的目的，不只是在于知识的传授，更是在于发掘并引领这些智慧的发展。

现代脑科学也逐步揭示了人类思维的生理机制。生理学指出，一个人的左右半脑存在着明显的分工。左半脑是抽象思维中枢，右半脑是形象思维中枢。左半脑思维材料侧重语言、逻辑推理、数字符号等，右半脑思维材料侧重事物形象、音乐形象、空间位置等。科学研究还发现，如果对两半脑中的未开垦处给予刺激，激发它积极配合另一半脑的作用，结果大脑的总能力和效率就会成倍地提高。

通过以上的理论研究，我们可以发现，人的大脑可以越练越聪明，多元智能是可以平衡发展的。

在所有的活动中，手工制作给每个孩子提供了发挥自己优势智能的最大发展空间。因为在具体的手工操作中，孩子会因为每个人不同的生活经验、不同的知识积累、不同的智能组合、不同的思维方式等进行独创性的手工制作。比如，由于孩子的想象力丰富，但想象的内容是不同的，他们的作品就会呈现出不同的姿态；再比如，喜欢画画的孩子会在手工制作中加入绘画成分，观察细致的孩子会注意别人看不出的细节，动手能力强的孩子做出的手工更耐看，有创造力的孩子能为手工作品创造出与众不同的效果。另外，手工制作的过程还能锻炼发展孩子的小肌肉群和动作的协调性。

简言之，手工制作可以培养孩子的自信心、观察力、创造力和动手能力，更有利于右脑的开发，经常做可使孩子越来越聪明。

◎和孩子一起做手工，最大限度开发多元智能

我们要和 3 岁左右的孩子一起进行什么样的手工制作呢？

我们要根据 3 岁孩子的年龄特点，在选择工具和材料时，找一些薄纸或随意捏的橡皮泥等材料。最好不用锋利的剪刀或小刀，以免伤到孩子。

　　和孩子一起做手工，我们可以在商店里买来一些现成的材料，但有些材料最好和孩子一起动手做。这样不但培养孩子勤俭节约的习惯，还有利于孩子发挥创造性。

　　适合我们和孩子一起做的手工有橡皮泥塑、各种叠纸、祝贺生日的贺卡等。

特别提醒：

　　3 岁左右的孩子在手工活动中出于好奇，会自发地投入到制作中，强烈的心理动机会诱发孩子自发的活动，对培养孩子良好的情商打下坚实的基础。

该休息的时候要休息，睡觉也能长智慧

法国科学家发现：孩子的学习成绩与睡眠时间的长短关系密切。凡睡眠少于 8 小时者，61%的人功课较差，勉强达到平均分数线者仅占 39%；而每晚睡眠 10 小时者，有 76%中等，11%成绩优良。最新研究发现，长期睡眠不足可以带来一系列的机体损害，包括思考能力减退、免疫功能低下、内分泌紊乱等。最近有学者提出，"智商"＋"情商"＋"睡商"＝完美人生，这是很有道理的。一个儿童睡眠一天需要几小时和另一个儿童需要几小时是不完全相同的，不要横向比较。

——《教育中国网》

苑苑妈妈说："我家孩子两岁零 10 个月了，最近她每天晚上睡得都很晚，平时都玩到十一二点才睡。因为我担心晚睡影响孩子发育，因为孩子有点儿矮，体重偏轻，所以就想尽办法哄她睡。可这孩子精神饱满，等我故事讲完了，催眠曲也唱了，又拍了好一会儿，她还是不肯睡。为此，我非常苦恼。"

健健的妈妈说："我家宝宝 3 岁零 1 个月了，他晚上不睡觉，总在床上爬来爬去，也不哭不闹，每天晚上要玩到 11 点钟以后才因为累了睡着。我听说孩子睡不好会影响智力，我很担心，怕这样的情况真的会

影响孩子的智力发育。"

其实很多妈妈都有这样的困扰，孩子的睡眠牵动着很多父母的心。生怕在生命的最初几年没有为孩子打下良好的基础，影响他们一生。

◎了解孩子为什么不爱睡觉

孩子睡觉晚，除了疾病之外，绝大部分是精力旺盛所致。3 岁左右的孩子喜欢在外面的世界跑跑跳跳来发泄他们充沛的精力，可是我们总是担心孩子会磕着碰着，把孩子关在家里，限制他们的活动。白天室外活动的时间少，精力无处发泄，晚上上床后孩子就会迟迟不肯入睡。如果能保证孩子白天充足的运动量，孩子在晚上一定会按时入睡的。

另一种原因是有可能与孩子很小的时候养成的习惯有关。如果父母有晚睡的习惯，会在无形中影响到孩子，孩子的生物钟随着家庭的作息时间固定下来，也就养成了晚睡的习惯。

孩子晚睡还有可能是在睡前看了使他们兴奋的电视，或是听了他们比较感兴趣的故事，如果睡前做的事情能激起孩子的兴奋，孩子一般都会出现这样的状况。

有些孩子的睡眠很浅，如果我们没有给孩子创设一个安静、容易入睡的环境，比如室内灯光较亮，或者家人说话声音大等，孩子都会受到影响。

也有一些孩子晚上不睡可能是爱的缺失的表现。比如，白天父母上班，孩子跟着老人或保姆生活，他们就会在晚上黏着父母。这是孩子在渴望父母给予他们足够的重视和爱。

◎睡眠对孩子的重要性

科学研究表明，婴幼儿睡眠质量直接关系到其发育和认知能力的发展，而科学睡眠习惯的建立，更会对宝宝的一生有着重要的意义。也就是老话说的：睡觉也能长智慧。

我们很多人都可能知道，睡眠对孩子的身高有重要影响。孩子入睡后，位于大脑底部的脑垂体能分泌比较多的生长激素，促进骨骼、肌肉、结缔组织以及内脏的生长。孩子在熟睡时比清醒时生长速度要快 3 倍左右。同时，睡眠对孩子的智力影响也很大。如果孩子睡得好，醒来精神状态会很好，有充足的精力在白天接受更多的刺激和信息；反之，如果睡不好，醒来状态就差，体力、情绪、大脑反应速度都会受到影响，周围的事物就不容易给孩子留下记忆和印象，不能形成知识经验。

◎如何让孩子睡眠好

对于精力旺盛的孩子，首先，白天应该让他们充分运动，把旺盛的精力释放出去。晚上孩子的兴奋度低了，自然就容易较早入睡。其次，不要让孩子在白天睡得很多，要让孩子养成良好的生活习惯，我们要把孩子晚上的活动项目的时间固定下来。比如 7 点到 8 点游戏，8 点到 8 点半洗澡，8 点半到 9 点喝奶、讲故事、睡前准备，9 点入睡。尽量不要因为一些小事破坏孩子的睡眠规律和习惯。

睡前不要让孩子太兴奋，不要让孩子看一些恐怖的影视剧，不给孩子讲令他们害怕的故事，也不要让他们玩得太疯。

对于睡眠浅的孩子，我们一定要帮他们创造一个安静且容易入睡的环境。另外，逐步让孩子练习深睡眠，让孩子睡觉不怕吵。

如果孩子还是睡不好，我们可以按一定节奏轻轻拍打孩子的身体，抚摸孩子，哼唱儿歌，让孩子内心有安全感，孩子就会很快入睡。

特别提醒：

良好的睡眠是提高孩子智力很重要的因素。我们在哄孩子睡觉的时候，千万要注意不要在睡前训斥、打骂孩子，这样，孩子才能拥有良好的睡眠，才能让我们的孩子越来越聪明。

--CHAPTER 04--

什么都想自己干，

主动品质的成就期

3 SUI DUI LE YI BEI ZI JIU DUI LE

重知识不重技能是本末倒置

　　侧重是重视"语文、数学、英语"这三门核心课程的系统训练，这是一种重知识、重理性、重科学、重智商开发的左脑型教育，在社会生存竞争的压力下，以教育人们"学会工作"为目的，过早地让孩子在12岁以前接受太多的知识灌输与逻辑思维训练，抑制了形象思维与情商的生长发育，使右脑神经细胞由于缺少外在的形象化物象的刺激而全面萎缩，从而失去了想象力、失去了生命激情与创造性、失去了生活的丰富与生命的尽性。

——柯领

　　"我家儿子两岁多就能算十位的加减法了。"

　　"我女儿3岁，现在可以自己看报纸了。"

　　"我家孩子3岁半就认识好几百个英语单词了。"

　　每当爸爸妈妈说到自己孩子有哪些"特长"的时候，脸上无不闪着骄傲的光芒。紧接着，爸爸妈妈听到的就是"真是神童啊""真了不起""你是怎么教育的""快点儿介绍介绍经验"……

　　在网络上搜索，也经常有妈妈发帖说"自己孩子识得多少字，会多少算术"，类似这样的"炫耀帖"在家教网上一出现，就会被一些爸爸妈妈一路热捧，回帖大赞。

从上述这些行为中我们不难发现，我们很多父母都想把自己的孩子培养成识字达人、数学天才。我们内心总会有这样的担心：人家孩子的父母都给孩子报各种早教班，教孩子认字、学数学，我要是不这样的话，孩子就会输在起跑线上，永远也赶不上人家了！

我们真的需要早早地让孩子接受知识教育吗？

◎了解 3 岁孩子生理和心理特点

一个 3 岁的孩子能认识一两千个字，能读报纸，这种"识字"的意义并不大。3 岁孩子能顺利流畅地读报纸，但他们却没有办法理解这些文字所表达的意思和信息。

心理学研究表明，孩子 3 岁之前几乎没有语义记忆，只有肢体和情绪方面的记忆。因为 3 岁的孩子对生活的体验极其有限，对这个世界和周围的环境也缺乏认识。如果我们给孩子一本书或一张报纸，认字很多的孩子可能对书上、报纸上的字都认识，都能读出来，但他们根本不理解他们念出来的句子是什么意思。

◎重知识不重技能对孩子的危害

如果孩子没有生活体验，我们只是用枯燥无味的识字和算术来占用他们探索世界、接触社会的时间，那么，学习对他们来说就是一件苦差事。虽然我们可以鼓励孩子、夸奖孩子，在别人面前炫耀孩子掌握了多少知识，其实，孩子过早识字只是满足了我们大人的虚荣心，但对于孩子来说，这些快乐只是暂时的。面对繁多、毫无生趣的数字和汉字，孩子是没有耐心坚持很久的，长久的枯燥学习会让孩子过早地厌学。可以这么说，知识灌输开始得越早，孩子厌学的情绪也就来得越快。

我们可能担心孩子不认识一些字，不学点儿数学可能会在上学以后跟不上。其实，这些忧虑都是多余的。小学的课本就是针对"零"知识的孩子设计的。另外，如果我们的孩子过早掌握了一年级的知识，那么

孩子对课堂和知识就会没有新鲜感和好奇心，上课就会做一些小动作或东张西望，不但给老师造成困扰，更容易让孩子养成不认真听课的坏习惯。这是孩子今后学习的大忌。

对于一个孩子来说，三四岁认识几百字和八九岁认识几百字的区别不是很大。但是，这5年中孩子却能拥有探索世界的体验和乐趣、战胜困难的勇气、生活的技能和自主性学习的能力。这些才是孩子可持续发展的法宝。

◎ 如何让孩子学到更多的技能

在生活中培养孩子独立生活的技能。"疯狂英语"创始人李阳的太太 Kim 是一位美国人，她用美式教育的方式培养女儿的独立生活能力。在生活中，她让孩子自己吃饭，哪怕孩子第一次拿筷子吃饭弄得到处都是；孩子刚学会走路，她就让孩子提着小凳子上卫生间（因为孩子个子小，要蹭着凳子才能坐上马桶）；她让孩子自己刷牙，尽管孩子一下挤掉半管牙膏……两岁多的时候，女儿李丽就能自己有条不紊地刷牙、洗脸、上厕所、自己倒热水、自己开柜子搭配衣服……妈妈 Kim 认为，把脏成一团的孩子洗干净要比重新树立起他们做事的积极性和勇气要容易得多。

和孩子一起进行户外运动和亲子游戏。3 岁左右的孩子需要用手脚和感官去体验周围的世界，我们带他们去户外，捉蝴蝶、看蚂蚁搬家、踏青，进行亲子游戏，对孩子来说才是最好的教育。比如，我们教孩子一个"花"字，不如带他去观察各种花的结构和形状，让孩子摸一摸、闻一闻，这样的学习更直观，也更有情趣；孩子认识的不只是一个"花"字，更增添了对自然的向往和热爱。这就是一种学习的技能。

特别提醒：

    我们不提倡给 3 岁左右的孩子灌输知识，但是，我们也不反对让孩子顺其自然地识字。我们可以给孩子讲睡前故事，进行亲子阅读。当然，坐公交、逛商场、散步、看电视的时候都可以进行自然式的识字教育。

孩子笨手笨脚的时候要忍住不帮忙

> 孩子考第一并不是很重要的，但是学会独立对他而言确是非常重要的。父母不可能一直陪在孩子的身边，他们必须学会独立地去思考问题、解决问题，独立完成事情。
>
> ——刘艳霞《决定孩子一生的 50 种性格》

依依还有 1 个月就 3 岁了，可她的动手能力却比较差，每天早上起床想要自己穿衣服，可每次都是妈妈嫌她动作慢替她把衣服穿好。吃早餐的时候，依依自己去倒牛奶，没想到把牛奶打翻了，妈妈抱怨了几句，自己把打翻的牛奶收拾好。早上出门上幼儿园，看着女儿笨手笨脚地系鞋带，妈妈也总是因为急着送她上幼儿园而帮她系好。到了幼儿园，因为依依很多事情都不会自己做，中午午休后还要老师帮她穿鞋子，为此，幼儿园的小朋友经常笑话依依。

翔翔两岁半了，他很喜欢自己吃饭，妈妈怕他把衣服弄脏，总是端过他的碗喂他吃饭。翔翔开始很不愿意，后来就慢慢习惯了，就不肯自己吃饭了，每天妈妈追着喂他吃。翔翔还特别喜欢自己动手，他总是喜欢把自己的玩具从一个屋搬到另一个屋。妈妈见到翔翔搬东西很费力，索性帮他把玩具都拿到他要搬到的地方，翔翔却不乐意了。

常有一些妈妈又好气又好笑地抱怨："我家孩子今天又笨手笨脚地

帮倒忙了！拖地的时候碰倒了花瓶；洗碗的时候，打碎了盘子；洗自己的袜子，弄得地上到处是水……每天都要帮孩子收拾残局。"

我们经常会发现孩子像依依一样，做事情笨手笨脚，不是把果汁弄洒了，就是把台灯弄倒了，要不就是做事情太慢，父母等得着急，有时甚至因为做事不利落而弄伤了自己。遇到这样的情况，我们很多父母大都是上去帮忙，不是帮孩子收拾残局，就是包办代替，帮孩子做应该孩子自己做的事情。

父母很纳闷，怎么别人家的孩子手脚就那么利落，而自己家的孩子做事就笨手笨脚呢！

◎了解孩子为什么会笨手笨脚

从孩子的天性看，一两岁的孩子吃东西时，会把食物撒得到处都是；两三岁的孩子满屋乱跑，不是被绊倒，就是撞到屋里的家具；三四岁时，玩球还容易伤到眼睛，练习轮滑经常被摔得青一块、紫一块……

两三岁的孩子开始有了自我意识，"我自己"是他们经常说的话，凡事要求自己来，因为他们想尝试，想用行动来表达自己已经成为一个独立的人。他们勇于尝试，愿意参与，渴望帮助他人并得到肯定。尝试的时候正是他们学习新事物、熟悉周围环境、掌握新技能的开始。

孩子的这些表现是因为他们新陈代谢比较快，有足够的精力去跑去跳、去闯去撞。但是孩子思维发育还不成熟，生活经验和实际能力不足，他们不能预见一些危险；再加上孩子的肌肉不够发达，又缺乏足够的动作练习，所以有时动作会显得笨手笨脚，在我们眼里，孩子经常都会"闯祸"。

另外，由于大多数家庭就一个孩子，家家都当宝贝，我们对孩子走路、做事总是不放心，事事总要包办代替。看孩子吃饭弄得到处是饭粒、穿衣服太慢，系鞋带慢……立刻接过手来，不顾孩子想自己做的意愿。我们这样做的结果，只会让孩子变得越来越笨手笨脚，从而慢慢失

去了自理的能力。

◎孩子笨手笨脚的时候要忍住不帮忙

现在，家庭教育领域提倡一种理念：孩子需要"懒"妈妈。

"懒"妈妈要做到嘴懒。我们看到孩子笨手笨脚地洗袜子，弄得到处是水，衣服也弄湿了，我们要管住自己的嘴，不要唠叨孩子："怎么弄得到处是水？""你这孩子怎么这么笨？""看你都弄成什么样子了？"诸如此类的话，"懒"妈妈是不会说的。"懒"妈妈告诉孩子一些方法，怎么洗才能洗得又干净又不会弄得到处都是水。"懒"妈妈还经常提醒、鼓励孩子："孩子，你自己做！妈妈相信你！你能行！动动脑筋，自己想办法！"

"懒"妈妈要做到手懒。比如，孩子笨手笨脚地收拾玩具，"懒"妈妈会管住自己的手，不会上去帮忙；孩子起床以后穿衣服慢吞吞的，"懒"妈妈不会去帮忙给他们系扣子；孩子吃饭弄得桌子上都是饭粒，"懒"妈妈也不会端过碗去喂；孩子上楼梯走得太慢，"懒"妈妈不会抱他们上楼；孩子不小心摔倒了，"懒"妈妈不会着急地抱他们起来……

"懒"妈妈嘴懒、手懒，但眼睛和心一点儿都不懒，我们要管住自己的嘴和手，不插手、不唠叨，给孩子更大的自由空间，让他们去探索，去尝试。

特别提醒：

孩子笨手笨脚地做事，我们就要给孩子提供自己做事的机会，让孩子在不断的尝试中培养自信心，提高孩子的自理能力。在保证孩子安全的前提下，我们不要帮助和干扰孩子，可以在一旁观察。在孩子需要帮助的时候，我们可以提醒、鼓励一下，适当的时候帮助一下，尽量让孩子自己去做事，自己去成长。

过度保护会伤害孩子的自尊

> 我们都希望自己的孩子是快乐的天使，是幸福的宝贝，所以总是呵护备至，然而孩子却一脸不高兴，究其根源就是对孩子的过度保护削弱了孩子的勇气，剥夺了他们生活的乐趣。所以还是松开那双紧抓孩子的手，给孩子自由成长、自主发展的空间吧！
>
> ——李少聪《让孩子赢在"起跑线"》

磊磊马上就 3 岁了，最近他总喜欢自己做事。一天，磊磊想要拿玩具架最上层的机器猫，他搬来一把椅子，爬了上去，他刚扶着椅子靠背站起来，妈妈就看见了，嘴里喊："你要干什么！危险，别上去！"赶紧把他抱下来。

"妈妈，我要自己拿机器猫！"磊磊大声抗议。

"宝贝，机器猫那么高，摔着你怎么办？妈妈帮你拿。"妈妈帮磊磊把机器猫拿了下来。磊磊很不高兴，撅着嘴走了。

秀秀是一个 3 岁的可爱的小女孩儿。妈妈带她去小区的草地上玩，秀秀抓着草玩，忽然她看见远处有一朵黄色的野花，她真想去把它摘下来。当她爬起来，小屁股刚离开草地，妈妈就看出她的心思，伸手把她拉住，让她重新坐下："别过去了，那个地方危险。"

过了一会儿，趁妈妈和阿姨聊天的时候，秀秀又偷偷地爬起来，轻手轻脚地走过去。她的手刚要碰到那朵可爱的小黄花，没想到，自己被拦腰抱住了。妈妈说："秀秀，别动，危险！那上面有刺，把你扎伤了怎么办！"秀秀急得大哭起来，阿姨过来帮秀秀摘了一朵，递到秀秀手里，对妈妈说："孩子喜欢，就让她玩吧。"没想到秀秀接过来一下子把花扯了个粉碎，边跺脚边大哭起来。

3 岁左右的孩子总想自己做事，球滚到桌子下面去了，他们要自己拿出来；高处的东西要自己动手拿……爸爸妈妈怕他们受到伤害帮他们做了事，往往惹得孩子很不高兴，或者大哭大闹。我们总是很纳闷，孩子怎么这么任性？

◎了解孩子为什么会如此任性

3 岁左右的孩子已经有了一定的判断力和审美力，他们是在与外界环境的互动中不断成长的。他们对外界有着强烈的好奇心。在好奇心的驱使下，他们通过感官去接触外面的世界，在这个过程中他们不断尝试着体验一种自我意识的觉醒，用自己的行动来证明自己存在的价值，这个过程是孩子自尊的体现。

3 岁左右的孩子虽然有一定的判断力，但他们的思维还不完善，没有预测危险的能力，加之他们的肌肉组织还没有发育成熟，很多事情做起来是心有余而力不足。大人担心孩子的安全问题，总是忍不住要上去帮忙。但我们"过分干涉"和"过度保护"的行为不但不会让孩子感觉到父母的关心和爱，反而会暗示给孩子一个信息：你不行！这样的信息会在不同程度上伤害孩子的自尊心。由于孩子的自尊心受到伤害，他们的表现往往是任性地哭闹或不高兴地走掉。

其实孩子喜欢自己拿玩具，喜欢自己摘野花……他们要的不是结果，而是一个探索尝试的过程。这也是孩子肯定自己、获得自尊自信的方式。如果孩子在尝试的过程中经常遭到我们出于"爱和关心"的干涉或阻碍，孩子在成长过程中很有可能会发展为依赖父母、缺乏自主性，一旦离开父母遭遇到生活中的一点点挫折后，往往就会失去自尊和自信，不知道如何处理问题，调适自己，甚至在遭遇打击后可能会一蹶不振。因此说，我们怕伤害孩子的身体其实就是在伤害孩子的自尊。

◎学会放手，给孩子自主活动的空间

没有人愿意被人当做弱者。苏霍姆林斯基讲过这样一个故事：一家四口去森林里度假，有爸爸、妈妈和两个儿子。突然雷声大作，不一会儿下起了滂沱大雨。哥哥把雨衣给了妈妈，妈妈又给了4岁的小儿子。小儿子问："妈妈，哥哥把雨衣给了你，你为什么又给我穿上呢？"

妈妈说："每个人都应该保护更弱小的人。"

"那么，我就是最弱小的人了？"小儿子问道。

"要是你谁也保护不了，你就是最弱小的人。"妈妈回答。

小儿子朝蔷薇丛走去，他掀起雨衣的上部，盖在粉红的蔷薇花上。因为大雨冲掉了两片蔷薇花瓣，花朵在雨中低垂着头，很娇弱的样子。

三四岁的孩子是弱小的，但他们并不愿意承认自己是最弱小的人，这是孩子的自尊和自强。我们要保护好孩子的这份自尊，不管在什么情况下，要相信孩子并不是懦弱的；一定要给孩子自主活动的空间，给他们一些机会和时间，让孩子独自去面对挑战，让孩子在挑战中树立自尊。即使是看似有些危险的事情，在确保孩子安全的情况下，也要让他大胆去尝试。如果花刺刺破手指，孩子就会从中学到：这是有刺的，我该如何避免被刺到。有危险才能更好地学会避险。这对孩子来说是一条很重要的成长经验。

特别提醒：

我们不要以为，孩子弱小就无法面对一些挑战。我们在孩子独自挑战困难的时候，可以这样鼓励孩子：你的力量很强大，妈妈相信你一定能行！

给孩子时间，让他自己去安排

> 最长的莫过于时间，因为它永无穷尽；最短的也莫过于时间，因为我们所有的计划都来不及完成。在等待的人，时间是最慢的；在作乐的人，时间对他是最快的。它可以扩展到无穷大，也可以分割到无穷小；当时谁都不加重视，过后谁都表示惋惜；没有它，什么事都做不成；不值得后世纪念的，它都令人忘却；伟大的，它都使它们永垂不朽。
>
> ——伏尔泰

正正上幼儿园已经半年多了，可是让爸爸妈妈着急的是，他做事太磨蹭，尤其是吃饭。本来起床的时候就磨磨蹭蹭，喝杯牛奶、吃个鸡蛋就能用上 20 分钟，鸡蛋要一小口一小口地吃。爸爸妈妈告诉他时间来不及了，可他一点儿都不着急，该磨蹭还是磨蹭。晚上睡觉的时候，催促他好多次"该睡觉了"，他总是说"等一会儿"。不拖拉到 10 点他是不会上床睡觉的。

冰冰在爸爸妈妈眼里是让人心急的"小磨蹭"，和其他小朋友比，冰冰做起事情来总是慢吞吞的。从吃饭、穿衣、画画、游戏，到洗澡、上床睡觉、走路……每天急得爸爸妈妈跟在她屁股后面对她喊："现在，现在就去做！"不过，一件事情她总也做不完。为此，冰冰的妈妈很发愁，曾经带她去请教过专家，想向专家咨询一下冰冰是不是智商有问题，或者是遗传的问题。结果检测结果是，孩子一切正常。

很多妈妈都有这样的烦恼，家有"小磨蹭"，妈妈只好跟在后面扯着嗓子喊："快点儿……快点儿……"可无论怎么喊，始终不见多少效果，把妈妈搞得焦头烂额。妈妈不明白：孩子为什么这么磨蹭呢?

◎了解孩子为什么会磨蹭

造成孩子磨蹭的原因可能是由于孩子的神经和肌肉还没有发育成熟，肌肉配合活动还不够协调，同时缺乏一定的生活技能。

当然，孩子磨蹭也可能与天生的慢性子有关。这类孩子往往属于相对安静的缓慢型，这是孩子先天的气质，很难改变。如果孩子对某些事情磨蹭，其他事情做得比较快，这是孩子的兴趣所致。感兴趣的事情，孩子做起来就快；不感兴趣的事情，做起来就拖拖拉拉。

孩子磨蹭的其中一个原因是因为他们没有像大人一样具有时间紧迫感，他们的时间概念比较模糊，他们速算时间的能力很差，不知道一分钟、两分钟、三分钟具体是多长时间。从3岁孩子的生理和心理的特点来看，他们只关注眼前的事情，并不知道把一件事情尽快做完之后会有什么好的结果。比如吃饭，大人知道如果不快点儿吃饭菜就会凉了，凉的吃了对身体不好，吃完饭后还有其他的事情要做，等等。而孩子就不懂得这些，即使告诉他们，他们也不可能完全理解。

两三岁的孩子自我意识比较强烈，他们有独立的想法，想做自己的事情，按自己的意愿做事。如果父母认为孩子小，不能掌控一些事情和时间，要求孩子按自己的安排做事，孩子就可能产生逆反心理，用磨蹭、拖拉来表达自己不满的情绪。

◎改变以往的教育方式

孩子没有时间观念，做事拖拉磨蹭，急得我们又吼又叫，我们很多做父母的经常对孩子喊："你怎么这么慢!"还会经常对客人说："这孩子太磨蹭，做事太慢。"结果孩子的毛病一点儿也没有改变，反而更加严重。因为，孩子经常被说成"慢"，这样的语言暗示就会给孩子这样的信息：我动作很慢。当孩子将"自己慢"认定是自己的特点，即使当初有很多原因造成动作缓慢，也会在以后的日常生活中表现出"慢"的特征。是我们经常说"你动作慢"强化了孩子动作慢的特点。

看来，孩子会按照我们的评价发展。再有，训斥打骂是不能解决问题的，不能靠大嗓门，更不能打骂。我们可以赞扬、鼓励孩子的一点点进步，每一次孩子动作快了一点点，我们就要及时表扬，这样孩子的行为得到正面强化，就会逐渐改变磨蹭的习惯。

◎把时间支配权交给孩子

把时间支配权交给孩子，让孩子来掌控自己的时间，不仅使孩子的时间观念更加明确，更是把责任交给他们。

比如，我们给孩子一个闹钟，定好起床的时间，把起床到出门上幼儿园这段时间让孩子自己安排。如果孩子还和原来一样磨蹭，我们要狠下心，不管他有没有吃饭，有没有时间梳头发、系鞋带，直接把他送到幼儿园。这样的情况反复几次，孩子就会明白，如果不抓紧时间，就会吃不到早饭饿肚子，没梳头小朋友会笑话。当他懂得了这些事情，自然就会合理安排时间了。有些孩子会因为自己有支配自己时间的权利，而主动去做自己该做的事。

特别提醒：

3岁左右的孩子刚刚学习自己做事，我们有必要教给孩子一些生活技能，比如穿衣、洗脸等，进行一些训练，及时给予鼓励。教孩子认识钟表，让孩子懂得10分钟可以做多少事，这样孩子就会慢慢学会安排时间、管理时间。

给孩子题目，让他自己去创造

> 教育不能创造什么，但它能启发解放儿童创造力以从事于创造之工作。我们发现了儿童有创造力，认识了儿童有创造力，就须进一步把儿童的创造力解放出来。
>
> ——陶行知《创造教育》

武汉大学前校长刘道玉在母校湖北襄樊五中建校 108 周年校庆之际回到母校，他在讲话中提到，中国学生想象力匮乏导致创造力差。

刘道玉说，前年他在上海参加世界高校校长论坛，论坛发布的报告显示，中国学生计算能力排名世界第一，想象力排名世界倒数第五。

他认为，想象力是创造力的源泉。他说，中国学生的知识面太窄，所受教育较早专业化，学生缺乏独立思考能力和批判精神，更不用说天马行空地发明创造了。这凸显出中国基础教育对学生能力培养的偏差。

孩子天生就具有无限的创造力。给孩子画一个"0"，孩子的答案千奇百怪，充满想象力和创造力。我们每个人都相信，每一个智力正常的孩子都是天才。（即使有些残疾的儿童也有其很突出的才能）可是，为什么我们的孩子越大反而越失去了创造力呢？

一次，我们同学聚会，有几位同学把孩子带来了，大人在一起聊天，孩子们头碰头趴在桌子上画画。我凑过去看他们画。我发现，其中一个孩子想到什么就画什么，天马行空，非常大胆。另外两个孩子则画得很小心，生怕画错，并且他们的画也是规规矩矩的，很讲究对称。我走到一边，找到带这两个孩子的同学，问他们平时是怎么让孩子画画的。一位同学说，孩子刚开始不会画，我们就画好了让他照着画；另一个说，我们给孩子买了临摹的画本，让他描着画。

我终于明白，孩子为什么没有创造力了。

◎了解孩子为什么没有创造力

3岁左右的孩子的创造力几乎在所有的活动中都能体现出来，他们没有强烈的目的性，不受习惯、规矩的约束，思维开阔，能自由地表达自己的现有水平。这是我们上面例子中提到的第一个孩子的表现。

可是，因为很多父母和幼儿园老师在教孩子时通常用的是"示范"的方式，比如写字、唱歌、舞蹈等，都是我们先示范一遍，然后让孩子跟着做。甚至有的父母连孩子做游戏也要示范。结果，这位妈妈发现，孩子每次玩都是这样的一种形状，再也没有改变过，孩子做什么事都等父母示范，不示范孩子就不会动手去做，并且完全照着妈妈示范的方法去做，一点儿也想不出或者不去想其他的玩法。大人的"示范"是给孩子人为地设置了一些框框，把孩子的创造力禁锢起来；孩子天生的能力得不到锻炼和强化，慢慢地，孩子的创造才能就会消失不见了。

还有一个原因，一些孩子之所以失去了个性、独立人格和创造力，是因为我们喜欢控制孩子。我们大多数人会这样夸奖孩子："这孩子真听话、真乖。"因为我们大多数人认为，听话的孩子即是好孩子，不会给我们添麻烦，我们就会很省心。由这种教育观念教育出来的是听话的孩子，但付出的代价是丧失了孩子的个性、独立性和创造力。

◎创造力对孩子的深远意义

创造是人类最重要的一种能力，人类的发展和进步在很大程度上依赖于创新。如今，我们的"中国制造"已经畅销全球，而"中国创造"却很少，这就说明创造力对于国家民族的发展有着多么重要的作用。

非凡的创造力不是天才孩子的专利，每个孩子都拥有创造潜能。创造力较强的孩子，敢于冒险、勇于探索、富有创新精神，在挑战中能发挥自己的创造性，能够担负起国家振兴、民族发展的重任。

◎给孩子题目，让他自己去创造

创造是自主性的最高体现，孩子的创造力需要我们去激发和引导。

我们要先找到孩子的兴趣点，然后给他们一个题目，让他们去创造。有的孩子喜欢画画，有的孩子喜欢动手拆东西，有的孩子喜欢组装玩具，有的孩子喜欢玩泥巴……比如，有个孩子喜欢画画，经常拿着彩笔在家里白色墙上涂画。妈妈并没有狠狠地训斥他，而是给孩子画出一块墙壁，让孩子自由地画，并告诉孩子，希望他能把这块墙好好利用起来，画出赏心悦目的画。孩子得到了父母的鼓励，很细心地画，最后这块墙成了家里最漂亮的彩绘墙。孩子的美术天赋得到很好的发展。

我们可以在平时引导孩子给一个问题寻找多种答案，培养孩子的发散性思维。比如，我们看到下雨了，可以问孩子，雨对我们有什么好处，什么坏处；看到大树，就可以引导孩子说，树木对我们有哪些帮助；等等。我们生活中的很多事物，都可以作为启发孩子多角度思维的内容，这是创新性思维的基本训练。

特别提醒：

对于 3 岁孩子的创造力，哪怕是具有破坏性的，我们也要耐心引导，切忌训斥打压孩子，这样会遏制孩子创造潜能的开发。我们一定要鼓励孩子的异想天开，给孩子的天马行空创造一个充足的空间和时间。

给孩子工作，让他自己去完成

> 从小教育，培养自立，逐渐放手。我们教育的宗旨不是为了让孩子上个好学校，重要的是为了孩子将来能成功地立身社会。也就是说，不管孩子上不上得了好学校，这些培养教育对孩子将来在社会上工作、为人处世都是至关重要的。教育孩子如果瞄准了修身做人、立身社会这个终极目标，"上名校"这个初级目标往往也可能顺便达到。因为，上名校毕竟也是为了成功地立身社会。我们认为教育孩子的目光不宜太过实惠，目标不宜太过功利。
>
> ——郝晋《让孩子自己去打拼》

近些年出现了一个新的名词：啃老族。

百度百科里的解释是，啃老族，也称"吃老族"或"傍老族"，或者"尼特族"，尼特族是的译音，NEET 的全称是 Not currently engaged in Employment, Education or Training，最早使用于英国，之后渐渐地使用在其他国家。它是指一些不升学、不就业、不进修或不参加就业辅导，终日无所事事的族群。

"啃老族"并非找不到工作，而是主动放弃了就业的机会，赋闲在家，不仅衣食住行全靠父母，而且花销往往不菲。"啃老族"是年龄在23~30岁，有谋生能力，却仍未"断奶"，得靠父母供养的年轻人。社会学家称之为"新失业群体"。

琼琼是典型的"啃老族",她平时的生活就是睡觉、上网、出门逛街、和朋友聚会。父母不仅要供养女儿的日常开销,每月还要替她还透支的信用卡。本来琼琼有一份不错的工作,在外企上班,但工作没半年,因为单位经常加班,她觉得不习惯就辞职不干了。之后她又找过好几个工作,总是因为公司管理太严、薪水少、同事难相处等理由辞职了。如今,琼琼干脆不去工作,在家当起了"啃老族"。

据重庆一家报社的记者调查发现,截至 2004 年,重庆就有"啃老族"5 万人左右。这个触目惊心的数字不得不让我们反思,现在的孩子究竟怎么了?

◎了解孩子不愿工作背后的原因

大多数"啃老族"的存在,是因为孩子在成长过程中父母过于溺爱和呵护,使孩子产生了很强的依赖思想,失去了在生活中和社会上独立自理的能力,养成了怕苦怕累、懒惰、经不起挫折和只肯接受不肯付出的习惯。因此,长大之后,因为工作上的一点点挫折就选择逃避应对,干脆辞职不干回家靠父母养活。

幼教专家认为,父母对 6 岁以下孩子不当的教育方式,是导致他们成年后缺乏独立意识和独立能力的根本原因。一方面是由于父母过度保护。三四岁的孩子独立意识很强,但是我们怕孩子受伤或者做不好给自己添乱,不让孩子做简单的工作,甚至孩子到了四五岁还不会自己穿衣服,更不用说做简单的家务。父母的过度保护、包办代替剥夺了孩子的独立能力的养成,使孩子形成懒惰、依赖的性格。另一方面,当孩子自己尝试做事的时候,总会有一些失误,父母不是耐心提醒、纠正,而是对孩子大声斥责,干涉、制止孩子的行为,这对孩子独立意识和自信心都是一种打击,很可能让孩子形成遇事逃避、退缩的个性。

学前教育理论中提到,在正常情况下,一个人的个性和心理素质在

6岁以前基本定型，如果儿童6岁以前养成过多依赖父母的习惯，那么以后再培养他独立、自信、顽强的品格就会相当困难。

◎给孩子一些工作，让他自己去完成

"啃老族"之所以普遍存在，是因为我们没有让孩子真正地"断奶"。为了能让孩子及早地自立自强，我们有必要放手让他们去做事，给他们一些工作，让他们独立去完成。

3岁左右的孩子自我意识很强，他们很喜欢做一些"我自己"做的事情，我们就要根据孩子这个特点，给他们安排一些工作或任务。比如，我们可以让孩子洗自己的衣服，比如袜子、内裤之类的小衣服；也可以让他整理自己的房间；或者在妈妈做饭的时候，帮助洗菜；吃完饭收拾碗筷洗碗；等等。我们要告诉孩子："这是你的工作，你先看妈妈怎么做，然后你自己完成。"然后，我们就要耐心等待孩子慢慢把自己的工作做好，容忍孩子犯洗不干净袜子、整理不好房间、摔碎了盘子之类的小错误，及时帮助他们纠正错误，但不要帮他们去做，让孩子独立去完成。

如果是男孩子，为了让他们更独立，更有责任感，爸爸可以在出差的时候告诉孩子："爸爸出差了，以后，妈妈就由你来照顾了。"妈妈也要学会适当示弱，让孩子独立去完成一些工作，比如晚上检查房门、窗户有没有关好等适合男孩子做的事情。

我们把孩子当大人看，孩子就会做出大人的事给我们看。

特别提醒：

3岁左右的孩子刚刚学习自己做事情，我们要有足够的耐心，让孩子从学着做到会做，从动作慢到动作快，从做不好到做得好，千万不要着急插手替孩子做，因为这个过程锻炼了孩子自立、自信、自强的品格。

给孩子机会，自己的事情让他自己干

凡是孩子自己能做到的事情，家长绝不要帮忙，否则就是在培养孩子的自卑和无能；不清楚孩子能不能做到，也应该让他先试一试，家长不要急于插手，不要因为舍不得、心疼孩子，就企图抱着他们跳过前进路上的一切障碍，拽着他们闪躲沿途的各种磨砺。要知道，那是在剥夺孩子成长的机会。

——鱼朝霞《冯德全早教方案10：用对方法教孩子》

一位妈妈在网上提问："早晨起床到出门上学，我儿子总是磨磨蹭蹭，穿衣吃饭都要大人陪着，否则他半小时也干不成一样。我在那忙得团团转，回头一看他又在那坐着不动了，想发火吧，感觉更浪费时间，只能去帮他。本来不用半个小时就能干完，结果40分钟能出门我就很满足了。只有到了学校门口，我才能真正喘口气。

不知道是不是因为从幼儿园的时候就让孩子养成了饭来张口、衣来伸手的习惯，还是说这个时期的孩子就存在这样的问题，我真是郁闷了。早晨起床到出门上学，你的孩子能自己的事情自己做吗？"

我们经常看到，在一些小学门口，每一个小书童后面都有一个老书童帮着背书包、拿衣服、打伞……

在家里，孩子该写作业了，老书童削好铅笔，准备好一切学习用

具，只等小书童做作业。在这些过程中，老书童还要负责擦错别字，拿草稿纸。做完了作业，老书童还负责整理玩具，收拾书包。孩子心安理得地享受着这一切。

我们经常感慨，现在的孩子太自私、太懒惰、太自我、不负责任，一点儿也不知道感恩。这可冤枉了孩子们，在孩子很小的时候，我们就提倡"自己的事情自己做"。可是，随着孩子的成长，我们又有多少人能做到让孩子"自己的事情自己做"呢？

◎了解孩子为什么会自私、懒惰

1岁以后的孩子就有独立意识的萌芽，什么事情他们都要"我自己来"，自己拿勺子吃饭，自己搬小凳子，自己走路，不要大人抱……等孩子长到两三岁，他们不仅要自己穿衣服、穿鞋子、洗手洗脸，还要自己洗手绢、洗袜子、自己动手修理玩具、自己倒水等。可是，很多父母在教育孩子上存在一些误区，重智育，轻德育；重动脑，轻动手。父母认为，孩子还小，很多事情不会干、干不好，或者嫌孩子做事太慢，着急赶时间就替孩子做了。

爸爸妈妈对孩子尽心尽力，为了孩子宁愿自己苦点儿累点儿，而孩子过着饭来张口、衣来伸手的日子。长此以往，孩子就会觉得自己的事情不用自己做是理所当然的，他们会要求别人为自己付出的越来越多，而且更加的心安理得。我们常常抱怨孩子脾气大、不能独立、不能吃苦、懒惰等，可是，孩子的这些表现与我们教育孩子过于精细、过度保护有着很大的关系。孩子该做的都让我们做了，他们还有什么理由自己去做呢？孩子就会变得越来越自私、懒惰、不负责任，不懂得感恩，不会顾及别人的感受，只懂得享受，不知道付出。

◎给孩子机会，能做的事情让他自己做

要想培养孩子的自立能力，首先要让他们学会一般的生活技能。在日常生活中，提倡孩子能做的事情就让他们自己去做。有这样一个例子：李阳娶了一个美国太太，名字叫 Kim，她用美式教育来培养孩子的自理能力。一次，李阳的助理看到李阳的两岁多的女儿李丽笨手笨脚地系鞋带，忍不住想帮忙。而这时，小小的李丽最喜欢说的一句话是："I can do it。"这是美国孩子常说的一句话。Kim 总是说："No，替孩子做他们能做的事，是对他们积极性的最大打击，也是对他们自尊的伤害。"

我们在生活中要时刻注意，孩子能做的事情就让他们自己去做，比如孩子自己会穿衣服了，我们就不要再帮孩子穿；孩子会大小便了，我们就不要再帮他们擦屁股……日常生活中的一些事情只要孩子已经学会了，自己能做了，我们就不要再提供毫无功效的帮忙。

◎给孩子机会，不会的事情学着做

两三岁的孩子模仿力是非常强的，到了他们该学习一些生活技能的时候，他们就特别喜欢模仿父母的一举一动。对于一些可以让适龄孩子学的技能，我们要耐心地教会孩子。比如，我们可以让孩子学着穿袜子、系扣子、洗手绢、洗碗等，也可以让孩子学习叠被子、整理房间等。同时，对于孩子热心想学的技能，我们要鼓励孩子去尝试，及时表扬孩子的进步，不要批评打击，以防损伤孩子学习的积极性。

特别提醒：

　　培养孩子的自理能力，简单地说就是让孩子自己的事情自己做，我们不要包办代替。因此，我们要学会放手，懂得放手，多给孩子一些机会；要有足够的耐心，及时鼓励孩子的一些实践和尝试，让孩子为自己负起责任。

少设置条条框框，给孩子自由发展的空间

> 孩子的成长和发展需要有一个宽松的、开放的、积极的引导环境，需要在父母的热切期望和等待中来迎接孩子的成长。孩子的发展，要遵循天性，不能任意抹杀孩子的创造欲望和玩乐心态，要让孩子自由地发展。
>
> ——陶行知

岚岚的妈妈因为当年没考上大学，心里一直很遗憾。为了让女儿今后有一个好的前途，她把所有的希望都寄托在岚岚身上，希望女儿能出人头地，弥补自己心里的遗憾。在岚岚3岁的时候，妈妈听说学钢琴越早越好，就咬牙给岚岚买了一架钢琴，请老师教她学钢琴；接着岚岚又被妈妈送进舞蹈班学习舞蹈；没过多久，妈妈又给岚岚买来画笔和画纸，让岚岚学习画画……

岚岚每天的时间都被安排得满满的，几乎没有什么休息的时间。白天上幼儿园，晚上上培训班，周末也不休息。每次妈妈送她去培训班，看到小区里玩耍的同龄孩子，岚岚都很羡慕。她觉得自己压力很大，没有一丝喘息的机会，因此整天闷闷不乐。

有一个外国的例子，说的是一个哈佛大学的心理学教授，他准备把自己的儿子培养成一个天才。在儿子三四岁的时候，已经会几国语言，

6岁时考入中学，12岁上了哈佛大学，16岁攻读哈佛大学博士学位。教授爸爸让孩子每一分钟都"吸收，不停地吸收"。结果，18岁时，博士儿子却成了英国伦敦一家商店的售货员，拒绝做任何"有知识性的活动"。他做了售货员，但他非常快乐。

从上面两个例子中，我们能发现什么问题呢？你一定想知道为什么父母付出这么多，孩子却不快乐吧？

◎了解孩子为什么不喜欢父母的安排

如今，大多数家庭都是独生子女，父母都把希望寄托在孩子身上。他们给了孩子全身心的爱。从孩子一出生，他们就帮他设计好了未来，给孩子规定了条条框框，然后让孩子按照他们的设定按部就班地成长。

可是，他们从不知道，也不可能相信，胎儿在母体形成的那一刻，就有一种神秘的、伴随着肉体的精神降临在人世间，指导孩子如何发展，指导孩子去看、去摸、去抓、去咬、去哭、去听……弗洛伊德管它叫"生本能"，蒙台梭利称它为"精神胚胎"。孩子是按照自己的自身规律来发展的，如果我们没有按照这个规律让他发展，而是强加于他，逼迫他必须做某些事情，左右他的人生，那么我们这些过多的安排和规定就会限制孩子的自由发展，孩子的内心就会产生强烈的不满和反抗，他们的发展就会进入一个误区，孩子真正的道德感就很难建立了。就如第二个例子中的儿子一样，他宁肯选择做一个售货员也不愿听从父亲的安排。

◎过多的条条框框对孩子的影响

我们总是喜欢对孩子的行为和选择进行干涉和限制，为孩子设置很多的条条框框，经常告诉孩子，应该这样，不应该那样。我们以为这样做是出于"爱"，是怕孩子受到伤害，希望孩子越来越好。

3岁左右的孩子对外界充满好奇，他们具有强大的学习能力，通过

触摸、体验，在内心形成固有的经验。如果我们对他们限制太多，孩子往往会缺乏自信，心理压力大，做事缩手缩脚，遇事容易用逃避退缩的方式应对；且苛求完美，很难同别人建立起友好信任的关系。

如果我们一方面满足孩子的物质需求，另一方面又忽视孩子的内心需求，对孩子的行为和交往进行干预和限制，一味地要求孩子按照我们的意愿去做，很容易导致孩子处处被动，很难形成积极主动的人格。这样的父母，有的是由于自身文化水平较高，对孩子期望很高，不能容忍孩子的一点儿落后；有的是由于对家庭教育的物质投入过多，从而对孩子进行粗暴干涉。

◎给孩子自由发展的空间，潜能才能得到最大发展

我听过这样一个故事：1985年，在日本举办的筑波国际科技博览会上，展出了一棵长有13000个果实的西红柿树。这棵西红柿树，是从普通的西红柿幼苗中被选出来的，如果用传统的方法把它种在土壤里，就算有再好的遗传基因，也不会结出如此多的果实。实验人员把这棵西红柿幼苗从泥土中取出来放在水槽里，把普通肥料以适当的浓度溶化在水里作为植物营养成分；然后进行水温和水流的管理，并供应充足的氧气。也就是说，这棵西红柿树是用"水耕法"的方式培养才结出了13000个果实。

这说明，因为先天基因基本相同，所以后天生长的条件，即优越的生长环境、充足的养料以及细心的照料，才是这棵西红柿长成大树的根本原因。

因此，在孩子成长的关键期，0~6岁，我们要给孩子创设轻松和谐的家庭氛围，鼓励孩子到大自然中尽情玩耍，与社会广泛接触。除此以外，我们要为孩子提供自由的心灵空间，不给孩子过多的压力，根据他们的兴趣爱好，引导他们自由发展。比如上面的第一个例子，妈妈应该让岚岚自己选择感兴趣的课外项目。这样，岚岚会拥有一个自由快乐的

童年，她的潜能就能得到最大限度的发展，才能结出丰硕的"果实"。

特别提醒：

我们要尊重孩子的内心需求，给孩子自由的时间和空间，激发孩子的潜能。但要注意给孩子自由也要有一个限度，不要纵容孩子的不正当行为。少设置条条框框，不等于取消所有的规则和约定。

面对困难，让孩子自己去解决

大部分父母看到孩子摔倒在地上时，都会过去扶孩子，甚至会安慰孩子，或者用物品来奖励孩子。这样做完全代替了孩子，孩子并不能真正地成长。有些父母认识到孩子遇到困难时，父母不能帮办，想着应该让孩子独自去克服困难，但是却不提供指导，反而常常呵斥孩子的无能。这样则会使孩子失去了战胜困难的信心，以后一遇到困难就紧张焦虑、烦躁不安，永远无法战胜困难。

——崔华芳《让孩子吃点苦：挫折教育的 55 个细节》

在小区的空地上，楠楠在妈妈的帮助下练习轮滑。楠楠戴着护膝和护腕，还戴着头盔。她小心翼翼地拉着妈妈的手，妈妈弯着腰整个身体支撑着楠楠，不让她滑倒。忽然，不知道什么原因，楠楠和妈妈一起摔倒了。妈妈伸手下意识地保护楠楠，重重地摔在地上，胳膊都摔破了；而楠楠因为戴着护膝护腕，一点儿也没摔着。可是，楠楠却放声大哭，责怪妈妈没有保护好她；妈妈艰难地扶着楠楠站起来，一边安慰她，一边查看她有没有受伤。

安安差一个月就 3 岁了，平时很可爱懂事。但是，妈妈发现了一个问题：一遇到困难，他就摇头拒绝，经常选择逃避的方式。妈妈鼓励他再尝试时，他还是摇头，还面带哭相。一天，安安想吃榛子，他剥了一个剥不开，就放弃了。妈妈告诉他要多试试，要勇敢地面对困难，想办法把它剥开，他就是拿着榛子哭着让妈妈帮他剥开。妈妈实在没办法，好说歹说都不行。

我们很多做父母的经常苦恼不已，就是为了孩子不能面对困难。妈妈们说："孩子们无论做什么事，只要稍微难一点儿，就产生畏难情绪，要么发脾气，要么要大人帮他，什么时候孩子才能自己面对困难呢?"

◎了解孩子为什么不敢面对困难

3岁左右的孩子虽然年纪小，但他们自我意识已经比较强了，有很多事情都可以自己去做。但是有一些事情孩子没有尝试过，没有做事的经验，就喜欢向父母求助。如果我们轻易伸出援手，孩子就会在心里认同自己求助的做法是理所当然的，父母的帮助也是理所应当的。这样的做法，致使孩子在以后遇到了困难，就会立刻向父母寻求帮助，不仅累坏了大人，也让孩子丧失了面对困难克服困难的机会，这对孩子将来的人格发展会产生很不利的影响。

有些孩子遇到困难之后会产生挫败感，用哭闹、发脾气等方式来表达自己内心的痛苦。又因为父母平时对孩子百般呵护，生怕孩子受一点儿伤害，孩子就会形成以自我为中心、任性、暴躁的性格。他们面对困难的方式通常是把责任推给父母，以此减轻自己内心的焦虑和挫败感。

◎让孩子勇敢面对困难，自己解决问题

学会放手，不要包办代替孩子的一切。现在的孩子大多都是独生子女，孩子就是家里的"小太阳"，全家都围着他一个人转。大人一味地纵容、娇惯孩子，生怕孩子受半点儿委屈，替他们做好了一切。

一个幼儿园的老师说过这样一件事：一次，幼儿园中午吃炸虾，小朋友都吃完了，只有思思一个人在吃，但他盘子里的虾都是完整的。原来不是思思不爱吃，而是他不会剥。在家里都是爸爸妈妈剥好了放到他

碗里的。

这不只是一个剥虾的问题，而是孩子基本的生活技能问题。一个连剥虾都不会的孩子，在以后的生活中一旦遇到了问题，第一个想到的一定不是自己去克服，而是求助于父母。我们一定要清楚，不要一看到一件小事被孩子搞得很复杂就上去帮一把，我们的举手之劳会一点点扼杀掉孩子的自立和自理的能力，甚至可能让孩子一生都丧失掉自己解决问题的机会。

培养孩子分析问题、解决问题的能力。有句古语说：授人以鱼，不如授人以渔。帮孩子解决问题，不如教给他们解决问题的方法，培养他们解决问题的能力。提高孩子这方面的能力，要让孩子多观察、多动手，我们可以让孩子自己动手吃饭、穿衣、收拾玩具，或者把拆开的玩具装起来等，孩子在做事的过程中就会明白事情为什么是这样的，怎么做才能解决。

培养孩子的自信心。我们让孩子动手做事也是对孩子能力的认可和尊重，也会极大激发孩子解决问题的信心和决心。解决问题的前提是让孩子相信自己有能力去解决问题，这就需要我们不要在孩子失误之后训斥、嘲讽孩子，而应该鼓励孩子，相信孩子，告诉孩子："这次失误说明这个办法行不通，妈妈相信你有能力把这个困难解决掉。"鼓励孩子重新尝试，并让他相信世界上很少有一下子就能解决的问题，减轻孩子的挫败感，激发他们的自信心。

特别提醒：

3岁左右的孩子毕竟经验有限，他们因为能力限制可能遇到一些困难，如果我们只是放手不管，让孩子屡次经历挫败，孩子可能会丧失信心。培养孩子的自立不等于说在每种情况下都要孩子单独去解决问题，我们也要告诉孩子必要的时候也要去寻求别人的帮助。

"逼"着孩子自己去找问题的答案

> 想要把孩子培养成感性认识丰富的人，妈妈首先要改变传统的认识。不要总为孩子上什么培训班而苦恼，应该先听一听孩子提出的问题，然后经常问一下孩子"为什么？"以开拓他们的思考空间，"为什么"的提问中隐藏着孩子的感性认识的灵光。
>
> ——张炳慧《好孩子的成长 99%靠妈妈》

3 岁左右的孩子，特别爱问"为什么"，整天缠着爸爸妈妈问个没完。问的内容是千奇百怪，诸如，"为什么小草是绿色的""为什么小鱼在水里游""为什么我不能像小猴子一样爬树""为什么爷爷的牙齿能拿出来"，等等，每次非要问个明白才肯罢休。

薇薇从小就特别爱问问题，什么事都要问个明白。每一次，薇薇都是打破沙锅问到底，非要弄清楚了才罢休。有时候，薇薇问的问题妈妈回答不出来，妈妈还要自己去翻书查找。妈妈虽然有些烦累，但看到薇薇这么勤学好问，爱思考问题，觉得是件好事情，还打心眼里高兴。

可是，随着年龄的增长，薇薇上小学了，妈妈慢慢发现了一些问题，女儿可能是习惯了问问题，现在碰到什么问题都来问妈妈，"妈妈，这道题怎么做呀？""妈妈，这个字怎么念啊？""妈妈，雨水有什么好处啊？""妈妈，老师让搞活动，我该怎么安排呀？"等，大事小事

都要来问妈妈。妈妈开始感觉有些不对劲了。

◎了解孩子为什么爱问问题

3~6 岁的孩子喜欢提问，在心理学上把这个时期称为"询问期"。在这个时期，孩子的大脑迅速发展，大脑的迅速发展带来语言和智力上的迅速发展。因此，这个阶段是非常关键的时期。

孩子到了 3 岁，因为行动的独立和自我意识的萌发，他们已经有足够的能力去应付环境，他们的注意力开始转移到对环境的关心。他们对外部的世界充满了好奇，他们好奇这个世界是怎么来的，以他们的思维和经验是不可能知道答案的。于是，孩子开始提出一系列的问题，以此来更多地认识他们周围的世界。同时，也能满足他们掌控世界的需求，知道了这些信息，他们便知道自己可以不必担心和恐惧，更增添了一份向未知世界进取的信心。

◎了解父母回答孩子问题的方式

有时候，孩子问题问得太多太杂，以至于让我们无法回答，这时候，我们可能就不耐烦地说："去去去，一边儿玩儿去，妈妈现在没时间回答你。"或者"你哪来那么多问题，总是没完没了地问，等你长大了就明白了。"如果孩子经常受到我们这样的"待遇"，孩子探索世界的欲望就会被打压下去，慢慢变得不爱思考，对任何事情都没有好奇心，不思进取，安于现状。

很多父母在孩子问问题的时候，会直接告诉孩子答案，这种做法是不太恰当的，因为这样会让孩子形成依赖的习惯，遇到问题不去思考，只等着父母给予自己正确答案。就如上面例子中的薇薇一样，孩子被妈妈"惯"得失去了主观能动性。

◎引导孩子自己去寻找问题的答案

当孩子提出各种各样的问题时，我们应该及时、真诚地回答，但不要让孩子产生依赖心理。如果孩子看到什么就问什么，反而不利于孩子思维的发展。

用反问的方式引导孩子寻找答案。比起有问必答，我们要引导孩子养成心中有疑自己先思考的习惯。孩子问问题时，我们先不要忙着回答，对于孩子有能力或经验解答的问题，我们可以先反问一下。比如，3 岁的孩子问："男孩子和女孩子有什么不一样？"我们不要告诉他们，可以反问一句："你说呢？哪里不一样呢？"孩子就可能回答：穿衣服不一样，尿尿不一样，等等。孩子是经过仔细观察之后才提问的，我们这样的反问让他们进一步观察、思考，提升了孩子的创造力。

启发孩子自己去观察思考。对于孩子因为没有经验提出的问题，我们可以直接告诉他们答案；但如果问题是平时生活所见的，或者可以通过观察或动手能解决的，我们要鼓励孩子多观察、多动手、多思考。比如，孩子问："水为什么能流动？"我们可以和孩子一起做个试验，通过观察了解水流动的原因，让孩子更直观地学习知识、拓展思维。

要鼓励孩子自己去查资料寻找答案。如果孩子提出的问题比较难，我们可以告诉孩子："妈妈也不太清楚，妈妈教给你怎么在网上或书上查找资料吧！"这样，妈妈不仅引导孩子找出了这个问题的答案，更让孩子学会了通过查找资料自己解决问题的方法。

特别提醒：

面对孩子的好奇心，我们千万不要用成人的思维方式去束缚孩子的想象力，更不能不懂装懂，敷衍孩子。同时，我们在回答孩子问题的时候，不能以让孩子害怕的方式回答问题，不要告诉孩子："这个很可怕……"父母的惊恐会给孩子消极的心理暗示，会让孩子变得胆怯，失去探索的勇气。

孩子越是不敢做的事，越要鼓励他去做

要在和他玩得高兴的时候或称赞他的时候去实施，最初要从痛苦最小的事情上面开始，然后不知不觉地逐步推进。一旦能使他明白，他虽然受了痛苦，可是因为有了勇气，得到了别人的称赞，得失已足相抵；一旦他能够从他那种刚毅的表现上感到光荣，能够不逃避小小的痛苦，不在他们面前畏缩，而宁愿取得勇敢的名誉之后，就不怕不能改进他的脆弱本性了。

——洛克

3岁的程程平时很乖巧懂事，很听爸爸妈妈的话，从来不做让大人操心的事。但是，让程程妈妈担忧的是，程程很胆小，平时带他去游乐场，他连最普通的蹦蹦床都不敢上，妈妈再三告诉他："蹦蹦床很安全，不会有事的，你看有那么多小朋友在上面跳呢。"妈妈说了半天他还是不敢上。暑假的时候，一家人去海边玩，程程很兴奋，但当爸爸带着他下海，他紧张得不行，抓着妈妈的衣服怎么也不敢下去。

馨馨是一个很腼腆的小姑娘，上幼儿园小班。她平时在班里很少说话，有时老师让她回答问题，她站起来以后，总是低着头，脸红得像一块红布，声音小得像蚊子哼哼。妈妈很着急，和老师商量要锻炼一下馨馨，让她不再胆怯。快到"六一"了，每个幼儿班都要排练节目参加庆祝"六一"的文艺会演，老师让馨馨扮演"小白兔"的角色，可是，馨馨说什么也不敢上台表演。

和程程、馨馨一样，有一些孩子平时也比较胆小、羞涩、内向、害怕，他们一般不主动与其他小朋友交往，在熟悉的环境中他们能高高兴兴地玩耍说笑，在人多的地方他们就不敢大声说话，甚至怕见到外人。他们会害怕一些他们认为危险的事情，不敢轻易尝试。

妈妈们非常困惑：孩子为什么这么胆小呢？

◎了解孩子为什么胆小、羞怯

古语说：初生牛犊不怕虎。孩子也一样，孩子不是天生的胆小，幼小的孩子不知道危险，不懂得害怕，他们总是到处摸摸、看看，对什么都充满好奇，这是孩子接触外界、认识事物、实现自主性的表现，是3岁左右的孩子心理发展过程中的一个显著特点。

可是，我们因为担心孩子受到伤害，常常会吓唬孩子："不许动！它会咬手指头的。"或者"你要不听话，大灰狼会把你叼走的！"或者"别去，看摔着你！"我们还可能担心孩子的人身安全，告诫孩子不要和陌生人说话，等等。我们这样的吓唬让孩子的自主性和探索欲受到压抑；我们的过度保护让孩子不敢做出一点点冒险的行为；我们的过度限制让孩子对未知事物感到恐惧，不敢去尝试。如此一来，他们的胆子就会越来越小，晚上怕黑，不敢去"危险"的地方，甚至不敢与外界接触。

孩子的胆小还因为环境的原因。我们的孩子绝大多数都是独生子女，爸爸妈妈工作忙，大多由爷爷奶奶、姥姥姥爷照顾。平时只生活在自己的小家庭里，接触外人的机会很少，孩子依赖性比较强，不能独立适应新环境，孩子就会表现出胆小、羞怯的性格特点。

◎孩子越是不敢做的事，越要鼓励他去做

孩子胆小退缩，有些事情不敢去做，如果我们认为孩子不敢做的事

情是孩子力所能及的，我们就要尽力鼓励他去尝试。我们要给孩子信心和勇气，让他充分感受到来自父母的支持力量，认识到"我能做到"。

首先，我们要给孩子一定的时间和空间接受眼前的事物，不要一下子就让孩子达到一个比较高的程度。比如，在上面的第一个例子中，程程不敢上蹦蹦床，我们就要鼓励他先上去踩一踩。如果征得管理员的同意，我们可以陪孩子上去。当孩子认识到蹦蹦床没有什么可怕的，他就会勇敢、快乐地玩耍。如果孩子还是没有办法接受，我们也不要训斥孩子，而是要鼓励他："妈妈相信你下次一定可以做到的。"我们绝对不能给孩子贴上"胆小鬼"的标签，这样，孩子可能一辈子都走不出胆怯的阴影了。

对于孩子的表现，我们不要给予太多的表扬和批评。因为太多的表扬和批评都会给孩子造成很大的心理压力，太多的表扬会让孩子很在意尝试的结果，怕失败之后得不到表扬。太多的批评会压制孩子的自主探索。这些都会让孩子不敢去尝试，不敢犯错误，不敢承担责任，不敢承担失败的后果。所以，我们应该鼓励孩子去尝试，而不是太在意结果。比如，在上面第二个例子中，妈妈要鼓励馨馨："不要害怕演不好，只要能上去表演就是好样的。"孩子得到妈妈的支持后，就能战胜自己，克服恐惧心理。

特别提醒：

每个人的性格和气质是不一样的，每种气质都有它的优势和弱点。如果我们的孩子天生是属于内向型的，无论怎么激励都不会让他们变得勇敢，那么我们就要尊重和接受孩子的性格气质，帮助他努力发扬这种气质的优势。这样就会帮助孩子建立自信和安全感，培养孩子的包容特质，学会接受不同性格的人，这是孩子成功成才的基础。

适当"教训"一下凡事等你做的孩子

父母还应当明白，照料孩子的目的，不仅仅是为了使孩子生活得舒适、幸福，更重要的是在照料过程中要让孩子逐步学会生活自理，进而掌握独立生活的能力。如果做父母的只想让孩子生活舒适，把孩子的事情全都包办代替，不让孩子自己动手、动脚、动脑，那么父母就等于把孩子的手、脚、脑都束缚起来，这样做的结果只能是孩子什么事都不能做，也不会做。

——崔华芳《让孩子吃点苦：挫折教育的 55 个细节》

惠惠已经 3 岁零 8 个月了，还要每天黏着爸爸妈妈，连简单的事情都不会自己做，凡事都要爸爸妈妈帮她做。让爸爸喂饭，让妈妈帮着洗澡、洗脸，衣服也要爸爸妈妈帮着穿，鞋带要爸爸妈妈帮着系，头发要妈妈梳，走路要爸爸背……就连到了周末，她也要拖着爸爸妈妈陪她一起玩。惠惠的爸爸妈妈平时工作都很忙，为了孩子，就会耽误其他事情；如果不替孩子做，惠惠就会又哭又闹。

看到惠惠例子的时候，我想到在网上看到的一个名词：草莓族。

小柯，一个"80 后"，从小就被母亲百般呵护。他高中喜欢文科，但父亲希望他读工科，为了讨好父亲，他只好顺从，在理工学院读工程专科。一年后，因为成绩差，想换科，在母亲的支持下换到了物理治疗

科。毕业后服兵役，常常回家哭诉被上司和士兵欺负，母亲经常到军营兴师问罪。服完兵役后，他找了多份工作，都由于工资低、地位低、离家远等原因辞职不干，最后赋闲在家，靠父母养活着。

百度百科的解释是："草莓族"多用来形容1980年后出生的年轻人像草莓一样，尽管表面上看起来光鲜亮丽，但却承受不了一点儿挫折，一碰即烂。不善于团队合作，主动性及积极性均较上一代差。开始投入职场的"草莓族"，最大的特色之一，就是对工作往往没什么定性，只要有更好玩的工作，或是更高的薪水，就会见异思迁。

◎了解孩子为什么成了"草莓族"

现在每个孩子都是家里的"小太阳""小公主"，我们把孩子当做宝贝，含在嘴里怕化了，捧在手里怕摔了，生怕孩子有一点点的闪失，尽力保护孩子，对孩子提出的要求无不满足。我们的过度娇惯很容易让孩子养成过分依赖的心理，他们会把父母帮自己做事当做是理所应当。过度地保护和溺爱，让他们凡事都以自己的感觉为主，过度以自我为中心，不会顾及别人的感受。对于生活中出现的挫折和打击，他们的心理承受能力很差，凡事找父母帮助解决。因为很多问题父母都帮助解决了，孩子就没有机会碰上困难；没有克服困难的经验，所以一遇到问题自然会想到逃避，又把父母搬出来帮忙解决。长此以往，孩子离开父母就没有办法生活。

"草莓族"不是一天两天就形成的，因为父母总是做"空降部队"，孩子一有压力就立刻接管，孩子一有问题，就立刻出现帮孩子摆平。这样做的结果，只会让孩子越来越依赖父母，越来越丧失抗压力。

在"草莓族"的心里，有很多假想敌，总是觉得别人会欺负他，常常以受害者自居，以此来博得父母的同情和关注，更有理由躲在父母的羽翼庇护之下。

◎适当"教训"一下凡事等你做的孩子

　　在很多个章节中，我们都提到父母要放手，不要包办代替孩子的一切。在这里，我们依然提出这样的观点。我们要明白，我们对孩子的包办代替、过度保护，其实正说明我们的内心还没有足够地成长起来。因为我们担心如果不这么做，孩子就可能出现一些问题或危险，会给我们造成很多的麻烦。我们可以这样说，溺爱不是爱孩子，是爱我们自己。因此，我们要学会放手，让孩子自己爱自己。

　　对于等我们帮他们做事的孩子，我们要适当"教训"一下。如何"教训"，就是我们要狠下心，不替孩子去做，让他们自己承担不做事的后果。比如，在第一个例子中，妈妈不替惠惠穿衣服、梳头，如果她自己做不好，到了时间，我们就可以让孩子衣衫不整、头发不梳地去幼儿园，后果由她自己来承担；爸爸不要喂她吃饭，如果惠惠不吃，那就让她饿一顿，让她尝尝挨饿的滋味是有好处的；平时，爸爸也不要答应惠惠的要求背她走路，如果她不走，就告诉她："如果你不走，爸爸妈妈还有事，没有时间等你，你可以自己走回家。"大部分情况下，孩子会用哭闹来要挟，但只要忍住不回头，通常孩子会自己跑上来的。

　　诸如此类事情，我们都可以适当"教训"一下孩子，让孩子慢慢摆脱依赖的个性，学会独立自主，自己的事情自己做。

特别提醒：

　　依赖心理强的孩子多数都懒惰，在适当"惩罚"孩子之后，我们要让他们在家务劳动中克服"懒惰"心理。可以让孩子做洗碗、洗菜、倒垃圾等力所能及的活儿。这样既解放了父母，又可以锻炼孩子独立生活的能力，让孩子更有责任感。

--CHAPTER 05--

小小追随者到自由探索者，
体验式学习的培养期

3 SUI DUI LE YI BEI ZI JIU DUI LE

爱玩是孩子的天性，
引导孩子从玩乐中开发智慧

> 玩，也是开发孩子智力的一种重要手段，是孩子动手动脑、开发智力、培养能力的好方法。家长不要一味地反对孩子玩耍，不要粗暴地剥夺孩子玩的乐趣，而要充分利用孩子爱玩的天性，开发孩子的智力。
>
> ——甘海燕《让孩子在玩中开发智力》

3岁的辰辰最近很不快乐，从两岁半开始，妈妈就剥夺了他和小朋友玩的权利，给他报了钢琴、形体、象棋、书法等各种各样的培训班。妈妈说，不让辰辰一开始就输在起跑线上。辰辰每天在各个培训班之间穿梭，有时候，从幼儿园出来就直接去上培训班。辰辰每天看着和他同龄的小朋友在跑来跑去地玩耍，羡慕极了。他多想和其他小朋友一样无忧无虑地玩啊！

琴琴虽然3岁半，但她认识好几百个生字，会背几十首古诗。每次家里来客人，妈妈就会让琴琴给客人表演，每次客人都夸琴琴聪明。为了让琴琴认识更多的字，学会更多的东西，妈妈开始让琴琴勤学苦练，不让她和小朋友一起玩，妈妈说，那是浪费时间。把她的玩具也收起来，只让她拼命地认字、背诗、学算术、背英语单词。妈妈说，这是为上小学打好基础。可是，琴琴的记忆力却越来越差了……

很多父母把孩子的智力理解为能认识多少个汉字，会背多少首古诗，会算多少位的加减法，会念多少个单词……甚至我们不惜花费大量的时间和金钱送孩子去学钢琴、舞蹈、美术、书法等，而我们这样的做法真的能让孩子增长智慧吗？

◎了解孩子智力开发的特点

依据埃里克森"心理社会发展阶段理论"，0~3岁的孩子的思维活动以直观行动思维为主，他们的思维活动离不开对事物的直接感知，并依赖于其自身的行动。

两三岁的孩子的直观行动思维表现很突出，也常常在三四岁的孩子身上体现出来。这种思维更多地依赖于具体情境，依赖于对具体事物的感知和对动作的概括。处于这种思维水平的孩子在解决问题时不能离开实物，离开了玩具和实物他们就不会游戏。比如，男孩子手里要是有一辆玩具汽车，他们就会用它做出各种游戏动作，并且在游戏中刺激大脑进行思维；如果女孩子手里有一个布娃娃，她就会和娃娃一起玩过家家的游戏。但当孩子手里没有了汽车和娃娃，游戏就会马上结束，思维也立刻停止。

这个思维阶段的孩子，他们的思维只能在动作中进行，常表现为先做后想，边做边想，动作一旦停止，他们的思维活动也立刻结束。比如，孩子画画的时候画一个圆，说是太阳，后来看着不圆，他可能就会说是月亮。

从埃里克森的人格发展理论来看，枯燥古板的灌输教育对两三岁的孩子来说是很少会起作用的。他们需要在玩耍中学到知识，开发智慧。

◎玩耍对开发孩子智慧的作用

孩子在玩耍中会不停地运动，孩子动作能力的发展直接影响着智力的发展。因为动作能刺激孩子的大脑皮层，使之更加活跃，更加精确地

支配孩子的动作。另外，动作能加快神经纤维髓鞘化，这是神经系统成熟的标志之一，更使得神经传导速度加快。

哥斯达黎加儿童教育学和心理学家加夫列拉·马德里斯曾在《国民报》上撰文指出，运动、玩耍是儿童学会观察、认识、理解、说话和活动的最佳"工具"，能促进儿童的大脑智力开发。他又指出，科学实践证明，2~5岁的儿童中，爱玩耍的孩子大脑比不玩耍儿童的大脑至少大30%。因为，在运动和玩耍的过程中，儿童要完成几十种与大脑和思维活动有关的动作，例如掌握平衡、协调心理、处理问题等。通过玩耍和运动，孩子能提高识别物体的能力、语言表达的能力和思维想象创造力，还能消除心理压力和恐惧感等。因此，成人不应忽视对孩子运动、动作能力的发展和训练，要尽量为孩子创造适宜的环境、条件，鼓励孩子去活动、运动，从而促进其智力和心理的发展。

◎引导孩子从玩乐中开发智慧

我们应该引导3岁左右的孩子在玩耍中通过具体形象来学习。比如大多数孩子喜欢玩水，我们就要让他知道水的物理形态，当孩子兴致勃勃地拍打着水花，我们就要告诉孩子："你看，水是液体，因为它是流动的。但它会变化，你见过不流动的水吗?"我们可以把水放到冰箱里，过一段时间拿出来让孩子看看固体的水，他就认识了水的物理形态。

由于我们的引导启发，孩子在玩耍中就会主动观察思考，这样，孩子的智慧就会得到很好的开发。

特别提醒:

孩子的成长离不开玩，如果剥夺了孩子玩的时间和权利，就等于剥夺了孩子学习成长的机会。我们不但要让孩子玩，最好也能陪着孩子玩，在玩中开发孩子的智慧，陪着孩子一起长大。

不要过严斥责孩子出格
但未出原则底线的行为

面对孩子的诸多出格行为，如果父母将其简单地看成越轨、破坏纪律而加以批评和限制，可就会把一些孩子的主动性和创造性扼杀在框框里。反之，如果父母能够正确地对待孩子的"出格"行为，对他们加以正确的引导，调动他们的主动性和创造性，培养他们的创造精神和战胜困难挫折的勇气，那么在"出格"的孩子中间一定会出现更多人才。

——成墨初《不打不骂教孩子60招》

山山是一个3岁的男孩，近些日子，妈妈发现他越来越不听话了。一天傍晚，妈妈做熟了饭，叫了山山好几遍他都不答应。妈妈走过去拉他，他拿着玩具怎么也不肯放手。妈妈从他手里夺走玩具，山山开始哭闹起来，还是不肯放开。妈妈使劲一拽，玩具汽车把妈妈的脸划破了。这下妈妈可生气了，妈妈认为，山山的表现太出格了，不仅把山山好一顿训斥，还打了他的屁股。

俊俊的爸爸特别喜欢摆弄花草、养小动物。星期天，爸爸从商场买回来一个大鱼缸，还有很多漂亮的小金鱼。俊俊可喜欢这些小金鱼了，她趴在鱼缸上左看右看看不够，还问爸爸："鱼怎么是红色的呀？它们怎么不眨眼睛呀？"爸爸要去阳台收拾花草，嘱咐俊俊别离鱼缸太近。

俊俊答应了。过了一会儿，爸爸听到一种异样的声音，赶紧跑过来，一看，原来俊俊站在小板凳上从鱼缸里捞出一条金鱼，没有抓住，金鱼掉在了地上，在光滑的地板上正翻腾着身子。爸爸赶紧把金鱼捡起来放回鱼缸，严厉训斥了俊俊一顿。

我们经常会遇到上面例子中的问题，不少孩子经常会干出一些"出格"的事情，让我们大为发火，严厉地斥责孩子，甚至为了解气还可能打孩子一顿。我们不明白，孩子为什么总干一些"出格"的事呢？

◎了解孩子为什么总干一些"出格"的事

3 岁左右的孩子正处于第一反抗期，这个阶段的孩子的特点就是反抗"权威"，越是父母不让做的事情他偏要做。他们的自我意识比较强，认为自己已经是一个独立的个体了，经常会说"不""不要""我自己"，这是他们的独立宣言，对着干是他们在争取独立，做出"出格"的事情有时是他们对自己的反抗不能很好地控制的结果。当然，有时候他们会故意做出一些奇特的动作和事情来考验父母的权威，如果父母表示出惊讶、失态、愤怒，正是他们要达到的目的。

另外，现在的孩子接触社会和新鲜事物更早、更广泛，从孩子平时的表现中我们都发出这样的感慨：现在的孩子越来越聪明了。聪明的孩子更容易突发奇想，有意无意地做出一些"出格"的事情。

◎不要过严斥责孩子出格但未出原则底线的行为

孩子适当的"出格"有利于发展独立性和创造性，能适当地调节孩子的情绪，发展孩子的求异思维。如果我们引导得当，孩子就会朝着建设性的健康方向发展。

只要孩子的"出格"行为没有超出我们的原则底线，我们都应该宽容对待，对孩子加以引导，调动孩子的主动性、创造性，将"出格"的孩子培养成出色的人才。

比如，上面的例子中，山山喜欢玩玩具，妈妈做熟了饭，可以和气地对山山说，该吃饭了。如果他还想玩，没关系，就让他玩去吧，妈妈可以不等他吃饭。等他不玩了，他再自己去吃。孩子爱玩、爱钻研玩具不正是可贵的科学探索精神吗？即使山山无意间用玩具伤到了妈妈，妈妈也要冷静，因为这是教育孩子懂得愧疚和知错的最好时机。如果看到妈妈捂着脸难过的样子，山山会怎么做呢？他一定会问妈妈怎么啦，也一定会乖乖地去吃饭。

第二个例子中俊俊的做法是表达对小动物的喜爱，虽然在方法上有些问题，但出于孩子可贵的好奇心，这些做法都是可以谅解的。虽然是爸爸喜欢的东西，但多好的东西也比不上孩子的好奇心和探索精神重要。所以，爸爸不应该斥责孩子，应该赶紧把金鱼放进鱼缸，安抚吓呆的孩子，告诉她鱼离开水是活不成的。可以再问问孩子抓鱼时的感觉，告诉她鱼身上的黏膜有什么作用。这样的做法，既让孩子明白抓鱼出来是不对的，又能让孩子学到很多科学知识。

如果我们看到孩子做了一些出格的事情，比如，雪白的墙上被孩子用彩笔画得乱七八糟，家里的厨房发了大水，等等，我们都先要调整好心态，想象孩子做这些"出格"事情的背后有什么积极因素，然后再适当加以引导，将孩子"出格"的举动变成把孩子引入天才之路的敲门砖。

特别提醒：

如果我们想让3岁左右的孩子像个乖宝宝一样从不惹事，从不做"出格"的事，那么，我们就要担心孩子是不是在智商和情商上出现问题了。我们要尊重孩子独立自主、积极探索的需要，允许孩子做一些"出格"的事，如果没有违背原则，就不要严厉斥责他们。否则，我们就有可能亲手"扼杀"了一个天才。

对由于探索发生的伤害或破坏要淡化处理

孩子"破坏"的过程，是一个手、眼都在活动的过程，能够促进他们思维的发展。鼓励孩子适当地"破坏"，就是在鼓励孩子的创造力，以及对更多事物的探索兴趣。所以，当家长看见孩子把机器人拆了，应该蹲下来参与到孩子的活动中，"机器人里面是什么啊，怎么会动的啦？"……引导、帮助他们一起寻找结果，然后再跟孩子一起把拆开的玩具恢复原样。这样才能让孩子在"破坏"——探究——重建中获得心理的满足。

——太平洋亲子网

周末，3岁的朔朔跟着妈妈在家玩。妈妈收拾家务，把一些平时不用的东西装到箱子里，朔朔也跟在妈妈屁股后面忙活着。在阳台上，妈妈一不小心把一个空酒瓶子摔碎了，妈妈赶紧告诉朔朔："千万不能动，这个东西会扎破手，等妈妈去拿簸箕收走。"等妈妈走后，朔朔蹲下来乖乖地等妈妈。他看到绿色的玻璃在阳光下闪着晶莹的光，漂亮极了。他忍不住伸手去抓，结果，手被玻璃划破了。他不知道手指上冒出的红色东西是什么，好奇地盯着看。妈妈拿了簸箕赶过来一看，吓了一跳，对着朔朔大叫："不是叫你不要动吗？你这孩子！流血了，疼不疼？"朔朔被妈妈这么一叫，吓得"哇"地哭出声来。

才3岁的琪琪就显示出了女孩儿爱美的天性。她经常看到妈妈在脸上涂一些化妆品，一天，她趁妈妈不注意，偷偷跑到妈妈的房间，开始学着妈妈的样子在自己脸上涂抹。当妈妈走进房间的时候，不禁大叫一声，她看到琪琪正把她昂贵的化妆品往外挤，还把自己涂成了"大花脸"。妈妈看着快被挤完的瓶子，狠狠地训了琪琪一顿。

从小到大，孩子会遭遇到很多次"危险"，也会搞无数次破坏。虽然程度不同，但每次都会让我们做父母的揪心，我们不明白，孩子怎么这么爱搞破坏，这么容易受到伤害呢？

◎了解孩子为什么爱搞破坏，又容易受伤

原因其实很简单，3~5岁的孩子具有强烈的好奇心，他们认识这个世界，是通过手的触摸、体验开始的，对身边的一切事物都想去摸一摸、看一看、碰一碰。他们没有什么经验预见外界事物的危险性，只有通过尝试才知道哪些东西是安全的，哪些东西是危险的。比如，我们小时候看到蜡烛的光就想用手去抓，烧疼了才知道这个东西是不能碰的。从此我们就有了这样的经验：火是危险的，不能用手碰。

"破坏"是孩子成长发育过程中经常会出现的现象，心理学家分析，可能因为孩子动作发展上的需要或者强烈的好奇心和探索的欲望的支配，也可能是因为被父母关注少的孩子为了博得父母的注意，才导致的故意"破坏"行为。

◎探究大人对孩子受伤和搞破坏之后的反应对孩子的影响

当孩子在探索一件新鲜事物的时候，会因为经验不足而受到伤害，大多数孩子弄伤了、弄疼了会哭，这时候，大人就会受不了了。因为孩子受伤比自己受伤更难受，不仅心疼孩子，还会产生很深的自责感。为了发泄这种痛苦，我们会大声地斥责孩子，或者苦口婆心地告诉孩子以后千万不要动这些东西，会把孩子看得更加仔细，保护得更周到。

我们这样的反应会起到应有的作用吗？让我们来分析一下，当孩子无意中受伤或者搞破坏之后，如果我们大声斥责孩子，孩子会把受伤的身体痛苦与受到斥责的精神痛苦累积起来。他们会告诉自己：我不能乱动东西，会很痛苦。在潜意识的支配下，他们会限制自己的行为，从而变得缩手缩脚，不敢"越雷池一步"。也有一种可能，逆反心理比较重的孩子，他们会故意做类似的事来反抗我们的权威，也就是说，孩子会故意受伤，甚至多次受伤，以此来多次体验"征服"父母之后的成就感。

我们过多的、过于激烈的反应会限制孩子的正常探索和肢体行动，甚至会抑制孩子这方面潜能的开发。

◎淡化处理由于探索发生的伤害或破坏

我们在与外界接触的时候会遭遇各种各样的"危险"，甚至可以这样讲，人活着本身就是一种冒险。何况孩子在探索未知事物的时候，由于他们没有累积的经验，遇到的"危险"可能会更多。当然，我们可以把我们的经验直接告诉孩子，但是没有亲身的尝试和体验，孩子很难将这些经验变成自己的"图式"。所以，我们要经常鼓励孩子多动手，多体验。

当孩子在探索过程中发生伤害事件的时候，像上面例子中朔朔妈妈的做法很不可取。当看到孩子受伤，她大声叫喊会对无知无畏的孩子造成不良的影响。他心里会对相似的东西产生恐惧心理，这对于孩子探索外部世界是非常不利的。

朔朔妈妈正确的做法应该是：先帮孩子处理伤口，接着把玻璃碴儿处理掉，然后语气平和地先肯定孩子的探索精神，再把这件事情的危险性告诉孩子。因为经过了亲身体验，孩子会有很深的体会和记忆，也会在日后的探索中懂得如何保护自己。

琪琪妈妈应该懂得：孩子在模仿自己的做法。她的模仿力和探索欲和化妆品比起来，哪一个更重要，恐怕我们做父母的都心里有数。因此，我们要摆正自己的心态，明白孩子是我们的一面镜子，育人先育己。

特别提醒：

　　任何一件事都有其发生的积极的一方面，我们要正确看待孩子在探索中的受伤或是破坏行为，让孩子在尝试中体验到疼痛的感觉、尝试的结果，学会自我保护和正确的应对方式等。

别将孩子看得太紧，给孩子机会自由探索

给孩子减负，为孩子松绑，把孩子放养，让孩子在自由空间慢慢成长，说着容易，可真正做到的家长有几个？回想我们自己小的时候，尽管当时的社会环境绝对称不上完美，但至少我们的父母用不着整天担心我们遭人绑架。我们小的时候有机会自己去探索周围的世界，甚至可以玩跷跷板这样"很危险的游戏"。

——勒诺·斯科纳兹《放养孩子》

露露是一个活泼可爱的3岁女孩儿。一次，妈妈领着她去超市给她买东西。妈妈让露露自己选。露露拿了一包薯条，妈妈说："薯条是垃圾食品，换一种。"露露放下薯条，转身拿了一包瓜子，妈妈说："吃瓜子上火，再说你也不会剥。"孩子又拿了一袋果冻，妈妈说："果冻不能吃，不小心会吃到气管里去，放回去。"露露很受打击，站在那里一声不吭，满脸的不高兴。最后露露跑去拿了一条儿童果奶，不等妈妈说话就跑到柜台前面去了。

经常听到同事抱怨她3岁的儿子不听话，因为对他管得紧就产生了逆反心理，经常会有反抗父母的行为发生。比如，吃饭的时候让他吃点儿青菜，他偏不吃；他在厨房玩水，妈妈叫他别玩了，他偏要把水弄得到处都是；带他出去玩儿，妈妈让他好好走路，他偏要跑到马路牙子边

上；下雨了，妈妈给他打着伞，叫他别到处乱跑，他偏要跑到雨里去；晚上睡觉的时候，妈妈让他不要吃糖，他一定要吃……很多时候气得妈妈骂他几句，他就大哭大闹。妈妈拿他一点儿办法都没有，不得已会在他屁股上打几巴掌。

3 岁的孩子还处于懵懂时期，他们对一些常识似懂非懂，他们有很强的探索精神和自主意识。如果我们过多地管教他们就会削弱他们的这些能力，要么不分青红皂白地反抗父母，要么会形成懦弱、依赖的个性。

有一些被父母管得死死的孩子，父母安排了他们的人生，他们不能做自己喜欢的事，没有自由选择的权利，更没有探索进取的精神。曾经有一个上小学的孩子在日记里这样写道："我没有兄弟姐妹，爸爸妈妈也不让我随便出去玩儿，我就像一只笼中的小鸟一样，既没有机会也没有能力去探索求知。"

已经有研究证实：我国中小学生的动手能力、操作能力和实践能力比他们的认知能力差。他们生活依赖性强，遇到困难只想着找父母和老师解决，缺乏对事物的探索精神。

◎ 了解孩子为什么会缺乏探索精神

当孩子 1 岁以后，从会爬、会走，到自由活动，我们会发现孩子的好奇心非常强，凡是自己想得到的东西，他们都要拿过来，要么放到嘴里尝一尝，要么就拧拧、撕撕。他们可能会把抽纸一张张抽出来，或者把爸爸养的花掐掉，或者用手捅插座，或者不停地按电视开关……孩子长大的过程，就是不断探索、不断寻找答案的过程。可是，我们怕孩子的行为会把家里搞得一团糟，或担心孩子的安全，想方设法干涉、阻止孩子的行动，包办孩子的生活，替他们做本来该自己做的事情。

孩子天生就具有很大的潜能，比如，科学技能、逻辑探索潜能、动手能力、绘画潜能、音乐潜能、交际智能等。如果在一定的阶段孩子的

潜能得不到开发的话，孩子这部分潜能就会被压抑或者消失，而我们的管制或包办会让孩子失去自由探索和开发潜能的机会。我们就会看到越来越多的孩子厌学、不思进取，甚至成为沉迷网络、逆反、吸毒、离家出走的问题孩子。

◎适当放手，给孩子自由探索的机会

我们很多做父母的基于对孩子的爱，会对孩子严格限制，通常不离孩子的左右，一边呵护孩子，一边告诉孩子："不要坐在地上，地上脏。""不要把沙子弄到眼睛里。""不要把袖子弄湿了。""不要反着爬滑梯，会摔着你。"我们把孩子教育得很"懂规矩"，很"乖"，从不乱碰东西。可实际上，我们这些做法阻碍了孩子自主探索的发展潜能。孩子在我们的约束下，不敢去触碰，不敢去体验，尝试不到失败的痛苦，也就不能增长生活的经验。在我们精心"照顾"下，孩子会慢慢变得羞怯、疑虑、自卑、胸无大志。

所以，我们不要把孩子管得太紧、太死，要适当放手，给孩子自由探索的机会。

我在一个网站上看到一位旅居国外的母亲写的文章，讲的是德国的爸爸对待孩子的态度：

刚到德国的时候，我们常带孩子到社区公园去玩。与游乐场中的各色人等相处多了，我们很快就会发现德国父母的一个特点，那就是他们对孩子远不如我们中国父母那么关心。德国父母大都是一副优哉游哉、神定气闲的样子。他们有的坐在椅子上看书，有的和其他父母聊天，有的则津津有味地在一旁观察自己的孩子。即使和孩子一起玩的，也大多是充当孩子的玩伴和帮手，很少有一直在孩子耳边唠唠叨叨、指指点点的。

我们是不是也要学习一下德国父母的做法，对孩子实行"粗养"呢？我们可以为孩子设定一些基本的规则和界限，然后就安下心来，尽量少控制孩子，少包办代替，少唠叨，让他们有一些自由的空间和自由的时间，让他们自己去经历和体验。这样的做法会让孩子的潜能得到最大限度的开发，使他们的探索、创新能力不断提高。

特别提醒：

3 岁左右的孩子正是自由探索的大好时期，我们要学会放手，但是放手不等于不管，还要适当引导，不要让孩子做危险的探索，比如触电、玩火等。如果孩子探索失败了，我们不要对孩子说："叫你不听妈妈的话！"这样会压抑孩子的探索精神。必要的时候，我们可以和孩子一起收拾"残局"。

多带孩子走出家门，
让孩子进行多项感官的体验

孩子对世间万物充满了好奇。当爸爸妈妈抱着宝宝走出家门进入大自然的时候，宝宝使劲儿转动着他们的眼睛，观察着身边的奇怪事物，任何一片树叶、一只小鸟、一朵云彩都能够激发他们的兴趣，刺激大脑发育。汽车喇叭的声音、小狗的叫声、其他宝宝的哭声、水声、风声，一切的声响都逃不过宝宝的耳朵。宝宝的所看、所听都在为他们建构自己的世界提供素材，满足他们感官的需求，为智力的发展提供养分。因此，爸爸妈妈要重视宝宝感官的需求，提供丰富多样的刺激。

——《婴儿母亲》杂志

雯雯快3岁半了，她平时就喜欢自己抱着布娃娃窝在沙发上看电视、打游戏，和布娃娃说话，玩自己的玩具，不喜欢到外面去玩儿；甚至有时妈妈带她去超市给她买好吃的东西，她也不愿意去。在幼儿园里，雯雯也很少与老师和小朋友交往，她总是坐在角落里，下课也不和小朋友玩儿；在学习一个新东西的时候，她的接受能力也比其他孩子慢。妈妈很担心：现在年轻人中流行"宅男""宅女"，莫非3岁半的雯雯这么小就"宅"了？

帅帅在很小的时候因为爸爸妈妈工作忙，被送到姥姥姥爷家。姥姥姥爷都年纪大了，已经退休了，姥爷平时在楼下下棋，姥姥要看护帅帅，也很少出门，也很少带帅帅下楼，所以，帅帅就基本和姥姥在屋子里玩儿。姥姥给帅帅做很多好吃的，但很少和帅帅说话。帅帅经常自己玩玩具，要不就打开电视看，有时候玩累了就会自己躺在床上，看着天花板。帅帅上幼儿园后，反应能力和接受能力都比其他孩子差，爸爸妈妈带着帅帅做了很多检查，结果显示帅帅的智力发育滞后，低于同龄孩子的水平。

现在，有一部分孩子同上述例子中雯雯和帅帅的状况一样，他们主动或被动地待在家里，很少出门，见到生人就哭，不敢与人接触，甚至一些孩子出现了智力发展滞后的现象。

◎了解不喜欢出门的孩子为什么会智力发展滞后

孩子大脑的发育需要不断的感官刺激，在 3 岁之前，对大脑刺激越多，孩子的大脑发育越好。所以说，感官刺激对于孩子来说是非常重要的。如果孩子生活在一个相对单调、封闭，很少出现感官刺激的环境中，他们的感知觉、思维力就无法得到充分的发展。如果错过了智力发展的关键期，很有可能造成孩子智力发展相对滞后的状况。

由于在现代城市里，钢筋水泥的建筑隔绝了人与人之间的交往，挤占了田野、绿地，孩子在相对封闭的环境中长大；再加上父母工作繁忙，把孩子推给老人；或者嫌孩子麻烦，给孩子打开电视，或给个玩具。就算孩子对这些东西比较感兴趣，但是时间长了，孩子感觉不到新鲜，这些单调的东西已经不能对孩子形成刺激，他们的感觉敏感度就会下降，思维受到限制，智力发展也会相对迟缓。

平时很少带孩子出门，使得孩子的见识只是局限于家这个小小的范围，孩子接触不到新鲜事物的刺激，慢慢就会出现上述情况。许多患有孤独症的孩子的病因还不太明确，但是同与人接触少、感官刺激少有一定的关系。

◎多带孩子走出家门，让孩子进行多项感官的体验

人是自然的产物，孩子天生就有一种与自然相通的本能，他们在内心深处对自然有一种向往，只是我们以前的做法让孩子的本真被蒙蔽了。现在，我们只要让孩子走出家门，多带孩子接触自然和社会，让他们进行多项感官的刺激体验，孩子就会恢复到一个自然健康的状态。

我们可以在周末或节假日带孩子主动走出家门，到室外、到草坪、到公园、到广场，让孩子摸一摸草，闻一闻花香，接触外面的世界，感受外界事物的刺激。也可以让孩子去淋淋雨，吹吹风，感受一下大自然的风雨，这样能锻炼孩子坚强的性格。孩子在室外，看什么都是新鲜的，比如，孩子会蹲下来看蚂蚁搬家、蜗牛爬、青蛙跳，会跑着追空中的蝴蝶。这些东西都会给孩子提供新鲜有趣的刺激，让孩子的智力得到良好的发展。

古代大文豪司马迁喜欢游历名山大川来"养气"，就是通过旅游长见识、增智慧。我们也可以在春天带孩子到野外踏青，我们可以引导孩子找出"春天和冬天有什么不同"，找出"春天在哪里"。孩子就会睁开眼、伸出手、竖起耳朵、打开鼻子，用各种感官去观察，去感受，去比较。这样，孩子在大自然中就会开始科学的探索。

同时，孩子在户外活动中还可以锻炼表达能力和思维能力。比如，我们引导孩子把看到的颜色、闻到的气味、听到的声音和皮肤触摸到的感觉表达出来。孩子的词汇量增加了，思维能力也会有很大的提高。

特别提醒：

家是孩子温馨的港湾，但家外是孩子活动的空间。我们要保持一颗童心，和孩子一起与大自然亲密接触，和孩子一样怀着无限的好奇心去探索，你不仅会获得一个聪明的孩子，还会发现，亲子关系也在日益亲密和谐。

发现孩子的探索欲望时，给予及时的鼓励

对孩子来说，生活就是一所学校，一草一木都可以成为他研究、探索的对象。我对孩子从小就实行多鼓励、少责备、不否定的原则。让他们的心灵素质始终保持良好的状态，为今后的学习和生活奠定一个良好的基础。

——楼旨君

茵茵是一个活泼可爱的 3 岁女孩儿。有一天下雨，茵茵在家闷了一天，天晴了，她赶紧拉着爸爸妈妈下楼去玩儿。

路面被雨水冲刷得很干净，可路旁的低洼处却积满了水。茵茵拉着爸爸妈妈的手边走边玩儿。一不留神，茵茵松开爸爸妈妈的手，飞快地一脚踏进泥水里，看着水花飞溅起来，茵茵"咯咯"地笑着，对爸爸妈妈喊道："爸爸妈妈你们看，水会飞!"说着，她把两只脚都踏进了水里，溅起更大的水花。

妈妈一看，赶紧过去拉她："水这么脏，把鞋子、衣服都弄脏了!"抱起茵茵就回家换衣服去了。茵茵妈妈很担心：孩子怎么这么调皮，这么不知道干净呢？

我们很多妈妈都会阻止孩子一些调皮、淘气的行为。我们不明白，为什么孩子就爱玩一些脏乎乎的东西呢？

茵茵很多次这样的行为被妈妈制止之后，慢慢地，茵茵出门很规矩，再也不乱动一些脏东西，总是很小心地把自己保护起来。

◎了解父母制止孩子探索行为的危害

我们已经多次提到，3 岁左右的孩子具有很强的好奇心，他们对一切未知的事物都感到新鲜，都想去尝试、探索，这是正常孩子的正常举动。他们对脏没有概念，只是按照自己的意愿去做，如果眼前的事物勾起了他们的好奇心，他们就会放弃自己的目的，不惜任何代价地去尝试和探索。

可是，我们常常为了"省时""省事""省去麻烦""担心安全"等，在孩子的探索欲望刚刚萌发的时候就立刻制止了孩子，或者用语言，或者用外力强迫孩子按照我们的意愿去做。孩子的探索欲望常常被我们掐灭在萌芽状态。长此以往，孩子就会变得懒惰、毫无责任感、不思进取、没有目标、没有动机，只会庸庸度日。

孩子的探索活动在一定程度上能开发孩子的智能，使孩子增长见识，获得一定的成就感。如果过多地限制孩子，就可能会导致孩子智力发育迟缓。我们经常见到很调皮的孩子头脑很聪明，有些动作迟缓的孩子，智力水平也会比好动的孩子低，就是这样的道理。

◎发现孩子的探索欲望时，给予及时的鼓励

孩子的探索欲望是难能可贵的，它是孩子创造力的源泉，是获取知识的重要条件，孩子对某个事物或者现象产生了探索的兴趣，就会有一种推动力促使他们去了解它、触摸它，对它进行细致的观察和思考。由于有了这一系列的发展过程，将来孩子就很有可能在某一个领域做出突出的贡献。因此，我们需要悉心保护孩子的探索欲望，及时地给予鼓励。

在上面例子中，茵茵的妈妈制止茵茵玩水，要拉她回家换衣服。这

时爸爸该怎么做才能保护孩子的探索欲望呢？

茵茵爸爸制止了妈妈的行为，对她说："孩子踏水玩只不过会弄脏衣服和鞋子，没什么危险。再说，让孩子体验一下踏水玩的乐趣，她会从中知道很多东西。"爸爸指着不远处的一处水洼，对茵茵说："那里水更多，快去!"茵茵快速地跑过去，双脚踏在水里，溅起更大的水花，茵茵高兴得不得了。回到家，洗完澡后，爸爸告诉茵茵一些"水往低处流"的知识，还趁机告诉她玩水时间长会把脚泡得皱皱，如果想玩水就需要穿雨鞋保护自己的脚。

和茵茵同住一个小区的超超也和妈妈在雨后一起下楼玩。他走在路上，看到柏油路上趴着一些长长的粉红色的虫子，并且还在动。他好奇地蹲下来，观察了一会儿，想伸手去抓这些虫子，但他又不敢抓。妈妈在旁边不动声色地看着，看到超超犹豫不决的样子，妈妈对超超说："这些虫子是从土里钻出来的，叫蚯蚓，不会咬人的，你摸摸看。"超超听后勇敢地抓起蚯蚓。妈妈又告诉超超蚯蚓的一些常识，建议超超把它们放回土里去。

其实，茵茵爸爸和超超妈妈的做法是值得我们借鉴的，看似"纵容"了孩子，其实是对孩子探索欲望的极大鼓励。当孩子打雪仗、看蚂蚁搬家、看蜘蛛结网、抓萤火虫……的时候，我们都要用鼓励的做法，让他按照自己的步伐去探索世界，并获得真正的快乐。

特别提醒：

　　3岁左右的孩子正处于建构自我意识的阶段，我们应该尊重孩子强烈的学习和探索欲望，让孩子从探索中了解世界，了解自己能独立做什么事。鼓励孩子的探索行为，会让孩子建立起自信心，寻找到自己的兴趣点，甚至可能发展出一生的事业。

把学习演变成游戏，增加孩子对学习的兴趣

> 如果孩子能够全身心地投入到学习中，他就会觉得学习是无比快乐的事情。但是，如果父母总是逼着孩子学习，就容易让孩子觉得学习是件比较烦的事情，特别是学习时间一长，孩子就会感觉坐也不是、站也不是，总想出去玩，根本就不能静下心来学习。这时，孩子的人虽在家里，可是心思却早已脱离所学习的内容，不知飞向何方了。
>
> ——孙云晓《13 岁前，妈妈改变孩子的一生》

一位妈妈在网上求助："我的孩子 3 岁了，他能认识大部分英文字母了。孩子告诉我他长大了想当警察，我就利用这个机会告诉他，如果想当警察就得认识字母和数字。这样我们就每天走到街上去认识车牌号。我发现孩子对 6 和 9 分不清，对 BDP、MN、MW 这些相似的字母分不清。让他学多了，他就会心烦，哭闹，真拿他没办法。"

不只这位 3 岁孩子的妈妈有这样的苦恼，生活中，也经常听到小学生和中学生的妈妈抱怨："我家孩子成天玩网络游戏，就是不想学习，一提学习就头疼，一玩游戏就精神，真让人发愁。"

我在一家教育网站做 QQ 群管理，经常有一些妈妈求助，要帮忙解决孩子的厌学问题。厌学的孩子不是因为网瘾就是早恋，要么就是做作

业拖拉，没有效率，一做就是一晚上，作业还写不完，用妈妈的话说就是"磨洋工"。如今，越来越多厌学的孩子让父母苦恼不已。

◎了解孩子为什么没有学习兴趣

没有不爱学习的孩子。孩子从一出生就带着很强的学习能力，他们迫不及待地想要接触外面的世界，如饥似渴地吸收、学习，因为这是他们的生存本能，唯有不断学习才能不断强大，才能消除他们潜意识里的恐惧。孩子在不断学习的过程中得到了巨大的成就感和成长的快乐，这也是他们学习兴趣不断增加的原动力。

人都有追求快乐、躲避痛苦的本能。如果孩子认为学习是不快乐的事，他们还会有学习的兴趣吗？一位儿童心理学家曾说："孩子厌恶学习，主要是觉得'学习是一种痛苦'。为什么学习被孩子视为痛苦？其原因在于父母把孩子的学习和成绩拉上关系，还把孩子的学习效果当做炫耀攀比的资本，每天不停地催促孩子去学习。"果真如此，我们从孩子很小的时候就担心孩子会"输在起跑线上"，在孩子刚刚会说话就大量地灌输汉字、数字、英语单词、古诗，但我们忽视了孩子心智还很稚嫩，无法承受这么多的"知识轰炸"。另外，被逼迫学习的感觉会让孩子过早对学习产生逆反心理，孩子对学习产生反抗，自然就会厌学了。

◎父母要摆正对待孩子学习的态度

首先，我们要明白，3岁左右的孩子的学习不只是认字、算术、背古诗，他们的学习无处不在，他们的每一次尝试、每一次探索都是学习的过程。我们不要遏制孩子每一次的学习欲望，而要让他们亲自动手去触摸、体验，这样的学习才是真正意义上的学习。

其次，我们要摒弃"急功近利"的动机，不要对孩子期望过高；要让孩子按照成长规律自由发展，不逼迫孩子学习，适当引导，恰当鼓励。让孩子在轻松自由的环境中快乐地学习，这是每一位做父母的责任。

◎把学习演变成游戏，增加孩子对学习的兴趣

著名的教育学家福禄贝尔曾说过："游戏是人在儿童阶段最纯洁最神圣的活动。"对于3岁左右的孩子来说，游戏就是他们学习的主要手段，是自愿的、快乐的、充满创造性的学习过程。

上面我们提到很多妈妈抱怨孩子沉迷于游戏之中，不爱学习。我们想一想，为什么孩子会对游戏上瘾而厌倦学习呢？是因为他们觉得游戏好玩，能带给他们快乐的感觉，而学习不能带给他们这种感觉。同样的道理，如果我们把学习演变成"游戏"，孩子也会爱上学习的。

比如，我们想让孩子学习认字，就可以采用"文字接龙"的游戏，我们和孩子一起做，我们说上班，孩子接班长，我们接长大，他们继续接大人……以此类推，孩子有说不出的时候，我们可以适当提醒。这样，孩子不但学习了汉字，还学会了组词，重要的是提高了孩子的学习兴趣，孩子不会感到厌倦。除此以外，还有"数字接龙":1—3—5—7；还有"故事接龙""绘画接龙"等。

如果想让孩子学习做家务或学习新技能，我们也可以把这种学习变成游戏。比如，我们让孩子学扫地，就可以在地上画一个正方形或三角形，然后用硬纸折一个簸箕，让孩子用小笤帚把地上的脏东西从两边扫到中央，用簸箕收走。孩子在游戏玩乐中就学会了扫地。再如，3岁孩子拿筷子吃饭还不熟练，为了锻炼他的小肌肉群，让他熟练地学会使用筷子，可以给孩子设计"用筷子夹乒乓球"的游戏。

特别提醒：

还有一个问题我们需要注意，一定要避免拿自己的孩子和别人的孩子进行比较，即使在游戏中也不要比较，这样会极大地打击孩子的自信心，容易让孩子形成不良的人格。

发起互动主题，
引导孩子主动对事物进行探究

> 幼儿是通过与环境中的人和事物相互作用获取知识和形成概念的。幼儿的思维具有具体形象的特点，而操作材料则是幼儿思维的基石。幼儿的学习和思考离不开活动，他们在亲手对物质材料操作的过程中，在用自己的各种感官去充分感知外界事物的活动实践中去获得经验，发展探索的能力。
>
> ——皮亚杰

我曾经接受到一位 3 岁孩子母亲的咨询，她说："我天天为儿子着急，他做什么事情都磨磨蹭蹭，慢得出奇，穿衣服、吃饭，连走路都很慢，上幼儿园迟到了也不着急。并且出去玩儿也要我陪着他。他平时对很多东西都不像别的孩子那样拥有好奇心，对什么都好像无所谓。孩子这样的状况应该怎么办？"

毓毓 3 岁多了，最近妈妈很担心，她发现毓毓很没主见，也很胆小。一次，妈妈在做饭，告诉毓毓自己先看一会儿书，等妈妈做熟饭再陪她玩。过了一会儿，毓毓跑过来问妈妈："妈妈，我看哪本书啊？"妈妈说："看哪本都可以。"她又问："我可以看舅妈送给我的图画书吗？"妈妈同意了她才去看。还有一次，下雨后，妈妈带她去楼下玩，其他小朋友好奇地围在一起研究蜗牛。她也想过去，妈妈就鼓励她，可

她说："我不敢。"

妈妈们不明白，是什么原因让孩子如此被动呢？

◎ 了解孩子为什么太被动

孩子在生活和学习上不积极，很被动，主要是因为在孩子的成长过程中，我们总担心孩子小，做事不周到，容易犯错误，不能掌控自己的生活，所以我们就一直在替孩子做主，安排好孩子的生活和学习。主动权掌握在我们的手中，他们的生活完全是被动的，

比如，穿什么衣服，吃什么东西，看什么书，玩什么玩具，和什么样的小朋友玩，等等，孩子都要听我们的。当孩子听话之后，我们会表扬："真是听话的好孩子。"孩子为了继续做妈妈的好孩子，就一直压抑自己的想法和自主的愿望，他们以我们的目标为目标，自我意识渐渐泯灭，就好比一辆汽车，引擎好好的，却要被人推着走。我们的孩子就属于这样的状态，如果"引擎"长时间不用，就会生锈、钝化，以至于再也无法发动。这样的孩子没有自信心，自身的成功体验很少，他们不知道自己有多少能力，也不会运用自己的能力去做事，慢慢就形成了一种惰性。这些孩子就是一些长大之后只知道享受、没有目标、不懂付出和感恩的"啃老族"。

还有些孩子被我们训练得失去了"自主行动"的愿望。我们辛辛苦苦收拾干净整齐的家，不希望被孩子搞得乱七八糟。孩子被我们要求"老老实实"地待在一个地方，不许乱动，不许乱跑，甚至什么时间睡觉、喝水都要问问父母的意见。在这样严格控制的家庭环境中，孩子很容易养成没有主见、胆小的习惯，并且被动的孩子喜欢推卸责任、找客观理由。

◎ 发起互动主题，引导孩子主动对事物进行探究

了解了这些情况，如果我们的孩子表现出"被动"的状态，我们就

该反思一下自己有没有上述类似的问题。不过幸运的是，孩子还没有超过 6 岁，他们还有很大的可塑性，我们一定要运用一些方法和技巧，引导孩子对事物进行主动探究。

为了让孩子主动探究学习，我们可以发起一些互动话题。比如，要想让孩子主动学数数，我们就要先养成大声数数的习惯，再找到身边的事物让孩子数一数。我们可以对孩子说："你有几个手指头？"或"你跟着妈妈上楼梯，看到咱家有多少阶？"或"你这次搭积木一共啊了多少块啊？"等，我们这样引导孩子，孩子就会主动参与进来。

再如，我们和孩子一起下楼玩儿，捉到蝴蝶、蜻蜓等小动物，我们就可以对孩子说："看看蝴蝶有几条腿。""它的翅膀是什么颜色的？""摸一摸它的翅膀，什么感觉？"引导孩子主动、认真地观察。如果孩子有进一步的问题，我们也不要轻易告诉他，可以和孩子一起通过查资料获取。孩子的好奇心被激发起来，会自觉主动地探究。

如果我们想让孩子养成主动探究的好习惯，就要利用生活中的点滴小事，给孩子提出问题的机会，和孩子一起去参与探究。这样，孩子就很容易养成自主探究的好习惯。

特别提醒：

我们要把孩子当做家庭中重要的一员，关心和尊重孩子，满足他们合理的愿望，保护他们的自我意识，为孩子营造一个轻松、自由、和谐的家庭氛围；我们要创造条件，让孩子体验到成功感，让孩子对自己有一个积极的自我评价，他们就会主动地去认识世界。

及时发现学习难点，只给予必要的帮助

　　成年人常常本能地试图改变孩子的生活节奏使之适应自己的生活节奏，这是父母自私的另一种表现。当我们必须跟一个局部瘫痪的人一起走路时，我们就会感到十分痛苦；当我们看到一个患有中风病的人用颤抖的手缓慢地把杯子举到嘴唇时，他的蹒跚动作跟我们自己自由灵活的动作之间强烈的反差也会使我们痛苦。如果我们要帮助他，我们就会千方百计用自己的节奏来代替他的节奏，以便使我们从这种内在的冲突中解脱出来。

　　　　　　　　　　　　——陈忻《高效能父母的 21 个教子习惯》

　　一天，孩子们围成一圈，有说有笑。圈子中间放着一个水盆，盆里漂浮着一些玩具。

　　有个刚刚两岁半的男孩。他独自一人站在圈外，看得出，他充满了好奇心。我饶有兴趣地在远处观察他。他开始慢慢走近其他孩子，想挤进去，但他没有力气，挤不进去，于是他仍站在圈外看着周围。那张小脸上流露出来的思想非常有意思，如果我当时有个照相机把他拍下来就好了。

　　突然他的目光落在一张小椅子上，显然，他决定把椅子搬到这群孩子的后面，然后爬上这个椅子。他开始向椅子走去，脸上露出希望的神情。正在这时，老师走过去蛮横地 (她可能会说是轻轻地) 抓住他，把他举过其他孩子的头顶，让他看水盆，还说："来，可怜的小家伙，你也看看吧！"

小家伙虽然看到了那个水盆和漂浮物，可是他脸上原来那种使我觉得非常有趣的欢欣、探索和期望的表情，一下子消失得无影无踪，剩下的只是一种"相信别人会替他做事"的孩子的那种呆滞表情。

上面这个案例是意大利著名幼儿教育学家蒙台梭利的一篇观察日记。

我们想想看，这个孩子得到了老师的帮助，看到了玩具，为什么不高兴呢？

◎了解孩子为什么不愿意得到大人的帮助

这个两岁半的小男孩本来已经想好了办法决定自己解决问题，当"他开始向椅子走去，脸上露出希望的神情"，他为自己能想起这个办法充满自信和自豪感。两三岁的孩子具有很强的自我意识，他们通过自己的行为作出自我评价，正确的自我评价会让孩子越来越自信。本来这个孩子可以通过自己的力量去克服障碍，从而获得自我实现的满足感。在马斯洛的"需要层次理论"中，自我实现是最高层次的需要，自我实现的需要得到满足的人会最大限度地发挥自己的潜能，努力达到自己的预设目标。不只是成人有这样的体验过程，已经有了自我意识的两三岁的孩子同样会有追求自我实现的需要。

可是，当孩子这个高层次的需要将要得到满足的时候，被老师无情地剥夺了，孩子能不扫兴吗？他所呈现出来的表情是"呆滞"的，"相信别人会替他做事"。也就是说，他被迫承认了自己的无能，抑制了自己的需要，被迫让自己接受别人的帮助。

在生活中，我们常常习惯性地给予孩子随时随地的帮助。比如，孩子想自己吃饭，我们嫌他弄得很脏，就拿过碗来喂；看孩子动作很笨拙，就帮孩子系扣子、系鞋带……我们好像是孩子肚子里的"蛔虫"，

孩子刚有了一点儿想法，我们就把手伸过去。试想，我们的溺爱扼杀了孩子多少快乐，压抑了孩子多少潜能啊！

◎ 及时发现学习难点，只给予必要的帮助

其实，我们只要细心发现孩子学习、探索中的难点，给予他必要的帮助就可以了。

当孩子学习一种新技能的时候，由于没有经验，他们往往会犯一些很低级的错误。这时候我们不要训斥和嘲笑他们，仔细观察，找出孩子是在哪个点上出现了问题。必要时，我们给孩子示范或给他们必要的帮助就可以了。比如，孩子学习叠被子，我们要不动声色地在旁边看着，看到孩子怎么也叠不好很有挫败感的时候，我们就可以给他示范一下，帮助他掌握技巧。当孩子成功叠好被子之后，他会体验到很大的成功感，这是孩子以后不断学习的动力源泉。

当孩子遭遇连续挫折打击的时候，我们需要给予他们必要的帮助。一个孩子如果因为总是搭不好积木而大发脾气，这时候，我们就需要在旁边指导孩子，在关键的时候帮他一下。孩子体验到成功的感觉，学习也会越来越有劲。

在日常生活中，我们要学会放手，切忌包办孩子的一切，让他们失去体验自我实现的快乐的机会。我们要放心让独立意识强的孩子亲自动手去做，有困难自己克服。在孩子经历了一次次困难和挫折之后，他们真的会慢慢长大起来。

特别提醒：

我们不要用成人的眼光来看待孩子的行为，不要过于同情孩子的弱小，不要帮他们做本该自己做的事情。我们不要让孩子按照我们大人的节奏生活，而要给他们克服困难的自由和机会，在孩子真正遇到难题时再伸手相帮。

百闻不如一见，创造机会增加孩子的见识

　　旅行的过程，其实也是一个增长见识、增长能力的过程。因此，有条件的父母可以多带你的孩子出去走走、看看，多给孩子一些锻炼的机会。此外，如果家庭条件不允许，或工作太忙没时间，父母还可以通过增加孩子阅读量、给孩子更多独自处事机会等方式，让孩子见闻广博。俗语"读万卷书，行万里路"，说的就是这个道理。

——云晓《培养完美女孩的 100 个细节》

　　曾经在一本名字叫《爱学习 会学习 能学习》的书上看到过这样一个故事：一个三四岁的小孩，有一天晚上看电视的时候，电视上正在演非洲难民的生活，孩子父亲觉得这是教育孩子的最好时机，把孩子叫过来说："你看看非洲的孩子都吃不上饭，这么可怜，你现在生活条件这么好，还不听话，还不好好学习。"孩子真是目不转睛地盯着电视半天不说话，孩子的父亲觉得这次的教育取得了成效。可让这个父亲没有想到的是，孩子最后回过头来说："爸爸，他们为什么不到冰箱里拿吃的呢？"是啊，我们的孩子从小到大就知道"冰箱里有吃的"，这个孩子从来没有体验和见识过穷人所过的生活，怎么可能去理解呢？

　　如果拿着韭菜和麦苗问 80 后、90 后的年轻人，又有多少人能辨认

出来呢？现在的很多小孩子有很多的玩具，尤其是女孩子，有很多小动物的毛绒玩具。这些憨态可掬的毛绒动物和真实的动物比起来都被美化、人格化、毛绒化了；还有动画片中的动物，都加入了一定程度的夸张成分。可是，没有几个孩子能认得真的野生动物以及自然界中真的生物，因为孩子们没有亲眼见过这些动物和生物，对这些东西没有具体的感知。孩子见了真的脏兮兮、浑身滑溜溜的青蛙未必能接受，而他们见到真的老虎，恐怕还会走上去摸摸老虎的屁股呢。

有时候，我们真的很担心，孩子怎么如此的没有见识呢？

◎ 了解孩子为什么没有见识

中国有句俗话：百闻不如一见。就像我们前面说的，如果没有亲自观察，连成人都难以分辨韭菜和麦苗，何况刚刚涉足社会还没有任何经验的 3 岁孩子呢！

我们爱自己的孩子，给他们买来最高级的毛绒玩具，带他们去吃最高级的饭菜，给他们穿高档无辐射的童装，让他们参加各种培训班。我们发誓要把女儿培养成气质高雅的"小公主"，把儿子培养成"小绅士"。孩子按照我们给他们安排的既定轨道有条不紊地成长着。可是，偶然间我们发现，孩子还有很多没有见识过的东西，像我们例子中提到的，不能理解穷人的生活，不能很好地认识大自然。

为什么孩子没有见识，是我们没有让他们去"行万里路"。中国有句很好的联语：纸上得来终觉浅，绝知此事要躬行。孩子需要亲自去看一看、摸一摸，才能增长见识啊！

◎ 百闻不如一见，创造机会增加孩子的见识

如何创造机会让孩子增长见识呢？

网上流行一句顺口溜：读万卷书不如行万里路，行万里路不如阅人无数，阅人无数不如名师指路，名师指路不如自己去悟。"读万卷书"

指的是让孩子读好书，读适合孩子阅读的书，我们要帮助孩子选好书，选各方面的书，让孩子广泛涉猎；"行万里路"是要让孩子走出家门，我们可以带孩子去远足、旅游，让孩子与大自然亲密接触；"阅人无数"指的是让孩子与社会多接触，提高交际能力；"名师指路"指的是让孩子多与"高人"接触，从"高人"身上学到更多的知识和能力，重要的是受到"高人"的人格品质的熏陶；"自己去悟"指的是，通过不断地增长见识、增加经验，孩子内心就会悟出人生的目标、学习的动机等。那么，孩子在不断学习、自我提升的过程中就能享受到无限的快乐。

这样的见识会贯穿到孩子一生的成长中。在日常生活中，我们可以通过一些生活细节让孩子增长见识。

比如，我们可以带孩子挤挤公交车，在车上能见到很多人，观察不同人的举止言行，见识一些给老人和孕妇让座的情境等，让孩子及早认识社会中形形色色的人，学会辨别和判断。

再比如，带孩子外出就餐，让孩子在饭店学习就餐礼仪，增长见识。我们要给孩子示范正确的就餐礼仪，如不大声喧哗，不用筷子敲击盘子，上了菜让客人长辈先动筷子，注意卫生，可以让孩子向服务员要一些东西，学会礼貌交流，等等。

可以让孩子到超市学购物，到邮局寄信，到银行 ATM 机上取款，参加各种聚会和活动，让孩子在日常生活中不断增长各种见识。

特别提醒：

　　3 岁左右的孩子，已经具备了感知外界事物的能力。因此，我们要通过让孩子亲自观察、亲自尝试的方式来获取对世界的认知，增长自己的见识，学习生活的技能，这样孩子就会越来越自立、成熟、文明懂礼、懂得感恩、敢于负责。

及时发现孩子的独特潜能或兴趣，
并予以特别关注

> 父母发现了孩子的潜能后，就要创造条件，保持这些特长的发展。有特长的女孩子会有更多的机会获得成就感，无论滑冰还是画画，音乐还是运动。当通过自己的努力取得了进步，或在竞赛中取得了成绩，她就有了更多的机会认识到自己的能力，从而产生自信，也就有了更强的动力继续发展。
>
> ——赵子墨《培养最棒的女孩》

慧慧妈妈是一个很爱干净的人，每天都把家里收拾得干干净净、井井有条。一天，慧慧妈妈下班回家，听到卧室里的声响不对劲，她赶紧推开卧室的门，一看吓了一跳。她发现有三个两三岁的女孩子在自己家的大床上连蹦带跳，还把枕巾、薄毯弄下来当披风和裙子，搞得床上、地上一片狼藉。爱干净的慧慧妈妈气得把她们三个从床上拽下来，着实地训斥了慧慧一顿。

慧慧妈妈爱干净没有错，可是，她的做法很可能会扼杀一个未来歌舞界的人才。两三岁的女孩子爱唱爱跳爱闹属于正常现象，慧慧妈妈严厉斥责她们，很可能会将她们刚刚萌发的音乐潜能压抑下去。也就是说，孩子可能不再淘气调皮，但是她们在音乐方面的潜能很可能也会被压制扼杀掉。

津津特别喜欢他的玩具汽车、手枪，每次到超市，他都要爸爸妈妈给他买回来。按理说，他的玩具应该很多了，可是，到他手里的玩具最后都落得"尸横遍野"或"大卸八块"的命运。最近，连爷爷送给他的生日礼物——高级遥控汽车也被他给拆卸了。一气之下，爸爸狠狠训斥了津津一顿，告诉他：以后如果再拆，就永远不给他买玩具了。

很明显，津津爸爸的做法和慧慧妈妈一样。我们总是站在成人的角度来判断孩子行为的好坏，我们当中大部分的父母都会这样，严厉制止孩子的"破坏""淘气"行为，结果是孩子要么变得听话，要么变得反叛。但最重要的是，孩子的潜能被我们的权威压抑了。

◎了解孩子有哪些方面的潜能

哈佛大学的心理学教授霍华德·加德纳经过研究后发现，人有七种智能：语言、数理逻辑、音乐、身体动觉、空间关系理解能力、人际交往的智力和自知之明。一般来讲，语言智能强的孩子，口语表达能力强，对语言的理解快；数理逻辑智能强的孩子，计算能力好，喜欢推理分析；空间智能好的孩子，喜欢搭积木、建房子和画画；肢体运动智能强的孩子，动作协调性好，模仿动作惟妙惟肖；人际智能强的孩子，可能是天生的领导者，善于和人打交道；音乐智能强的孩子，对节奏敏感，喜欢唱歌跳舞；内省智能好的孩子，做事有计划，充满自信；自然观察智能强的孩子，喜欢动物植物，观察力过人。

我国心理学家有一种更加直观的区分方法，孩子的潜能包括：绘画、舞蹈或运动、科学技能、逻辑探索能力、交际智能、动手能力、观察力等。每个孩子都有自己不同的优势智能，只要我们用心，就会发现孩子与众不同的地方，从而了解到孩子的优势智能。

◎端正对孩子"调皮""捣乱"的态度

当我们的孩子像慧慧和津津一样"调皮""捣乱"的时候，我们应该用什么态度对待孩子呢？很明显，当我们明白了孩子的"捣乱"的行为中可能蕴涵着巨大潜能的时候，我们一定不会再训斥限制孩子行为。因此，我们应该先了解一些关于孩子潜能的常识，然后，用赏识的眼光看待孩子，用平静的语气引导孩子，用激励的口气鼓舞孩子。

孩子的潜能需要用星星之火来点燃，这星星之火就是我们对待孩子的态度。我们的赏识和鼓励能让孩子卸掉本能的自卑。

记住：把孩子看做天才，他就会迸发出天才的能量。

◎ 及时发现孩子的独特潜能或兴趣，并予以特别关注

如何及时发现孩子的独特潜能或兴趣呢？

首先，我们要用赏识的眼光仔细观察孩子的一举一动。在平时的生活中，我们要仔细关注孩子的行为举止、一些特别的喜好，在孩子和别人交谈、玩耍或者读书的时候观察他。我们就会发现，孩子喜好画画，或者喜欢阅读，或者在音乐上有天赋，或者动手能力比较好，或者没有耐心但却有创意，虽然不爱表达，但喜欢观察小动物，等等。我们不要老是把眼光盯在孩子的弱势潜能上，要善于发现他们的优势潜能。

其次，我们要多给孩子创造机会。有些时候孩子因为天生羞涩阻碍了自己潜能的流露，我们就要给孩子创造展示的机会。比如，当家里来客人或者生日聚会的时候，鼓励孩子表演节目；家里可以设立一些规定，像每周五晚上阅读或者讨论、辩论等。我们可以根据自己家庭的情况，给孩子多一些展示和提升的机会及空间。

特别提醒：

3岁左右孩子的潜能还不稳定，我们要有足够的耐心等待孩子的潜能慢慢发挥出来。千万不要着急上火，看孩子做事太慢，伸手替他做了，这样做的结果是孩子懒惰的潜能被激发了，其他的潜能却会被压抑起来。

---CHAPTER 06---

和你想的不一样，
卓然个性的定型期

3 SUI DUI LE YI BEI ZI JIU DUI LE

每个孩子都是独立的个体，
不要把孩子当成你的附属品

把孩子看成独立的个体，在尊重孩子的基础之上爱他，才会让孩子成为真正的自己。孩子的童年不会重来，把孩子当成自己的附庸，强迫孩子去做他不喜欢的事情，会让孩子只知道听从大人的意愿，渐渐失去自己。而这将会成为教育最大的失败。把孩子当做家庭中的一个平等成员。父母要改变那种支配一切、指挥一切的错误观念。时刻牢记这一点，父母对孩子的教育会顺利得多，亲子关系也会融洽得多。

——林格《教育是一种大智慧：给教师和父母的 76 个建议》

曾经在一本杂志上看到过这样一个故事：有位教授，他有一个儿子和一个女儿。他对女儿要求低，他认为，女孩子嘛，稍读点儿书就好了。至于儿子，就一定要出人头地、光宗耀祖。在这样的思想支配下，儿子可惨了，整天被老爸逼着，快乐的求知变成了无尽的痛苦，学习不是为自己学，哪来的动力呢？是"要我学"，结果变成"我厌学"。恐吓、威胁在儿子小的时候还管用，儿子一长大，那一套就不管用了。最后公认天赋高的儿子却一事无成。相反，在宽松的教育环境下长大的女儿，求知的胃口保住了，在"我要学"的状态下不断学习，最后竟然成了博士。

我们很多做父母的和这位教授一样，把孩子当做自己的"私有财产"，心情好时，亲起来没完，要什么给什么；心情不好时，就对着孩子大发脾气。而且，我们当中有些父母从孩子出生的那一刻开始就煞费苦心、挖空心思地安排、设计好孩子的人生，甚至有些父母怕自己的孩子受苦受累，替孩子包办了一切。石家庄台的一档"情感密码"节目播出了一期《我给儿子当孙子》的节目，一对"80后"的儿子和儿媳，什么工作都不干，要靠老爸一个人养活，还逼着老爸要拆迁款。儿子在电视上叫嚣：你生了我，就得养我！引起众多观众的愤怒。

　　气愤之余，我们扪心自问：是什么原因让孩子说出这样的言辞？难道都是孩子的错吗？

◎ 了解孩子为什么不懂得父母的心，不领父母的情

　　我们通常会认为，我们给了孩子生命，孩子就是属于我们的。他们从一开始什么都不会，到长大成人，哪一点不是我们教的，给的？因此，我们理所当然地就觉得孩子是我们的附属品，就应该听我们的，应该按照我们的期望和我们安排好的轨迹发展、成长。我们就该为他们付出一切，要打要骂也随我们的意。

　　此外，我们站在大人的角度来看孩子，我们以为我们看到的就是孩子看到的，我们的经验就是给孩子最好的礼物。于是，我们控制孩子的思想和行为，不允许他们有一丝一毫违拗我们意愿的表现。我们打着"爱"的旗号，给予孩子许多丰厚的物质，以为这是孩子最需要的；给孩子灌输一些我们"自以为是"的思想，以为这是最正确的；替孩子做很多事情，以为这就是最深的爱。

　　可是，我们却发现，孩子越来越不听话，越来越不懂得感恩，长大之后的他们不但不知感恩回报，甚至理所当然地当起"啃老"一族。

◎要懂得孩子是独立的个体，并不属于我们

黎巴嫩诗人纪伯伦写过这样一首小诗：

你的孩子其实并不是你的孩子，

他们是生命之火的儿女，

他们通过你来到人世，

却不是你的化身，

他们整天和你生活在一起，

但并不属于你。

我们要懂得，孩子是独立的个体，他不属于我们任何人，他只属于他自己。一个迷失了自我的孩子，很容易被外界所左右，或逃避退缩，或跟风盲从，或没有目标没有方向，成为碌碌无为的人。

因此，我们一定要明确这样一个思想：孩子不是我们的附属品，他是一个独立的人，他们有自己的思想、人格和尊严，是我们所不能主宰和左右的。

◎如何让孩子成为独立的人

我们要平等、尊重地对待孩子，不要因为孩子年龄小就把他当做我们的附属品。我们要时刻提醒自己：孩子是一个独立的人，从一出生就是。我们不仅要认真倾听孩子说话，还要蹲下来，眼睛平视着孩子同他们说话。这样就不会让孩子觉得有"低人一等"的感觉。当家里有客人时，或者到别人家里做客，我们不要忘了正式地介绍孩子，不论孩子多小，也要很郑重地介绍给客人。当我们向客人正式介绍孩子时，孩子就会把自己当做接待客人的主人。我们尊重了孩子的独立人格，他们也会因此变得自信、自尊、大方、热情。另外，不要在别人面前训斥孩子，也不要把孩子的隐私当做笑话说给别人听，更不可以当着别人的面嘲讽挖苦孩子……

我们可以给孩子我们的爱，但不要给我们的思想，孩子有孩子的思想。孩子是我们生命的延续，但不是我们思想的延续，我们不可以把我们没有实现的理想寄托在孩子身上，为孩子规划人生，代替他们去思维。否则，我们给予孩子的就是伤害，而不是爱；是禁锢、束缚，而不是自由，就像例子中的教授一样。从小处看，当我们带孩子去串门，如果别人给孩子东西，我们不可以替孩子说"不要""不吃"，孩子馋嘴不是毛病，问题是我们在左右孩子的思想。

特别提醒：

　　作为明智的父母，我们一定要摒弃支配一切、指挥一切、包办一切的观念，把孩子当做家庭中平等的一员，有事情多问问孩子的想法。也应该学会控制自己的情感和情绪，不要把孩子当做我们情绪的发泄桶。

别以你的想法衡量孩子，
孩子和你想的不一样

> 父母多以自己的想法来规划孩子的发展，以大人的准则来衡量孩子的行为，在大人眼里，孩子只是个孩子，缺乏鉴别能力，只喜欢玩。其实，每个孩子都有很强的自我意图，他很清楚自己需要做哪些"工作"，需要得到大人的哪些配合，他有自己的"工作准则"，并不希望受到大人的干扰。当父母不以俯瞰的姿态，而以蹲下来平等的姿态看待孩子，那么孩子容易获得真自由。
>
> ——婴之杰

在搜狐网上有这样一个故事：云伟是一名公认的成功的设计师，但是他经常困在自己的矛盾中不能自拔，一方面，他认为自己的设计理念趋于完美；另一方面，他总觉得自己的设计还有不足。一次，客户对他的作品提出质疑，说他的东西华而不实，要求他在两个月内拿出成熟的设计作品。他感到很失败，回家后将自己的担心和无助告诉父母，而父母只是对他说："你原本就应该更努力。"父母的话让他的抑郁症彻底爆发，甚至想自杀。

为什么优秀的云伟会有这样的想法呢？经过专家的临床诊断，发现了根源。原来在云伟3岁的时候，父母就开始让他学习自己不喜欢的素描。父母对他极其严厉，只要一张没画好，就会严厉地惩罚他。当他有了进步，父母才会露出一丝笑容，然后再给他提出更高的要求。即使以后云伟做得比其他孩子好，也没有得到过父母的肯定。父母总是对他说："你不要骄傲，再努力一点儿就能更好。"每一次，云伟心里都空荡荡的……

还有一个例子：3 岁的娇娇认为自己长大了，可以帮妈妈做事了。一天，妈妈让娇娇把小板凳搬来，娇娇乐颠颠地走向小板凳。奶奶一看，走过去拿起板凳递给娇娇，结果娇娇大叫："不是这样的！"她生气地把小板凳放回原来的地方，然后再搬起来，走过去给妈妈。奶奶笑话她："娇娇可真笨。"

从我们的角度看，孩子不能体谅大人的苦心，乱发脾气，我们总是纳闷，孩子这是怎么啦？

◎了解孩子为什么会不"不听话"

从表面看，上面的两个例子好像没有什么联系，可仔细想想，娇娇的奶奶和云伟的父母都存在同样的问题：只知道站在自己的角度衡量孩子的想法，他们不知道孩子和大人的想法是不一样的。

在第一个例子中，父母担心云伟会骄傲，不肯轻易表扬他，而云伟因为得不到父母的肯定内心充满挫败感，这样的感觉让他不相信自己的实力和价值，这就是他平时常常处于矛盾之中的原因。

在第二个例子中，奶奶认为娇娇"笨"，其实，这是因为 3 岁的娇娇进入了"完美敏感期"，他们做事情讲究完整性，不希望自己设想好的事情被打断。孩子开始有了计划做事的意识，是拥有较强思维能力的开端。大人站在自己的角度去衡量、评判孩子的行为，会对孩子造成消极的影响，不利于孩子的健康成长。

在很多家庭，教育孩子全凭我们的"想当然"。主要表现在三方面：一是控制型，父母对孩子的想法一点儿都不了解，用我们的想法或愿望控制孩子的思想和行为；二是误解型，我们主观地判定孩子的问题，依

据以往的经验教育孩子；三是空洞型，父母不了解孩子的接受水平，用自己的思维模式去衡量孩子。这就"造就"了很多"不听话"的孩子。

◎别以你的想法衡量孩子，放手让孩子成长

我们通常喜欢用自己的价值观去衡量孩子的行为，而孩子则喜欢用自己的喜好去衡量自己的行为。当孩子的愿望被满足或者得到父母的支持的时候，他们会有满足感和安全感，能产生很强的自信心，逐步让自己成长成一个拥有独立思想、果断坚强的人。

我们又一次提到"放手"，是站在孩子的角度去思考问题，而不是用大人的想法衡量孩子，给孩子一个宽松自由的生长环境。我们要明白以下几点：

孩子追求完美不是笨。像第二个例子中的娇娇就是这样的情况，我们要仔细观察孩子是否到了"完美敏感期"，不要用"笨""没出息"等词语去伤害孩子的自尊心。

搞破坏不是孩子的错。我们以前提到过孩子喜欢搞破坏的问题，当孩子破坏了我们花大价钱买的玩具等用品，从我们的角度看，孩子损坏了一样贵重的东西，大多数父母的做法是训斥、打骂，甚至以"再不给你买"来威胁孩子。而实际上在"破坏"中包含了孩子的探索欲和创造力，因为各种感官的刺激，还促进了孩子的智力发育，并且孩子只是想看看里面到底是什么样的，这只是孩子的好奇心而已。

乱涂乱画也不为过。当我们回到家中，看到雪白的墙壁被孩子涂得一塌糊涂，大多会火冒三丈。而孩子只是把墙壁当成了能画画的地方，这也是他们自由发挥想象力的场地。这时候我们最好别生气，要知道这是孩子的"绘画敏感期"到了。我们要为孩子准备好画纸和画笔，或者给孩子开辟出一块墙壁作为他们"涂鸦"的园地。

孩子有很多幼稚甚至是捣乱的行为，当我们站在孩子的角度去看问题的时候，很多事情就会豁然开朗。

特别提醒：

我们不要用成人的标准去衡量孩子，要深入孩子的内心，尊重孩子的想法，蹲下身子和孩子平等交流。在我们阻止孩子的行为之前，要站在孩子的角度认真考虑一下，孩子的做法是否符合他们的年龄特征。

在孩子的成长过程中，你只是配角

> 对孩子来说妈妈的帮助是必要的。但是，在孩子的生活里，妈妈无论任何时候，都只应充当配角，让孩子成为自己生活的主角。妈妈应当引导孩子拥有正确的价值观，能够独立生活。并不是说如果孩子没有经历过失败就什么都做不成，而是应当在失败后，妈妈能够帮助他们重新站起来。
>
> ——张炳慧《好孩子的成长 99% 靠妈妈》

知心姐姐卢勤在《给父母的忠告》中讲过这样一个故事：

一位国际幼儿园的老师观察到一种有趣的现象：各国的孩子在一起玩沙土，一个外国孩子用小铲子把沙子往漏斗里装。漏斗会漏，沙子总也装不满，他就用手指头塞住漏斗底堵住漏口，等沙子装满就把漏斗挪到瓶子口边，再放开手，让沙子漏进瓶子。由于没有经验，从孩子拿开手指到把漏斗口对准瓶子口，沙子就漏得没多少了。但这孩子没有表现出一点儿不耐烦，他一点一点儿地做着、做着。终于，他在一次次的反复中"开窍"了：他先将漏斗口对准了瓶子再倒沙子，很快瓶子就装满了。孩子笑了，高兴地看着身后的妈妈。而他的妈妈，更是一个劲儿地拍手鼓励着孩子。

另一位中国孩子的妈妈做的却是另一个样子：当孩子拿起漏斗，沙子从底部漏掉时，妈妈立刻蹲下说："来，妈妈教你！把漏斗对准瓶子口，再把沙子从这儿灌下去。"

在经过仔细观察之后，这个老师得出这样的结论：中西教育方法存在着很大差异。这些差异在于，外国的妈妈看孩子做，中国的妈妈替孩子做；外国的妈妈是配角，中国的妈妈是主角；外国的妈妈是观众，中国的妈妈是导演。

我们总是埋怨孩子不体谅父母、不自觉学习、不主动做事、没有目标、懒散，我们扪心自问，孩子的这些问题是否和我们替他们做事有很大的关系呢？

◎了解父母为什么喜欢当主角，替孩子做事

虽然很多家长不愿意承认将要谈到的这个问题，但冷静想想，我们的潜意识中是否存在类似的问题呢？

怕孩子找麻烦。当两三岁的孩子开始有了自我意识，尝试自己做事的时候，他们的动作会很笨拙，会弄得到处是饭粒，会把碗摔碎，穿衣服太慢，上幼儿园会迟到，走路太慢耽误时间，等等。把家里搞得一团糟还要收拾，把衣服弄脏了还要洗，穿衣服、吃饭、走路慢了我们上班会迟到，我们没有考虑到这是孩子各种能力培养的最佳时期，而是过多地想到我们会不会麻烦。

怕孩子吃亏。一家就这么一个宝贝疙瘩，我们担心孩子进入社会会吃亏。于是，孩子在幼儿园被小朋友打了，我们就去替他解决问题；孩子和小朋友出现矛盾了，我们就去找对方的父母理论。生怕孩子吃亏的观念让我们处处替孩子解决本该他们自己解决的问题。

对孩子的依赖。一般我们会认为孩子小，好依赖我们大人。其实，大人也会依赖孩子，我们依赖的是孩子对我们的爱，因此我们就乐此不疲地帮孩子做很多事，满足孩子的所有要求。我们担心孩子会因为我们不替他做事就会不爱我们，而我们需要这份爱，我们还期望着孩子帮我

们实现自己未能实现的梦想和愿望呢。

◎了解父母做主角的危害

能干的父母往往培养出无能的孩子。若我们替孩子做了他们该做的事，他们的能力又该如何培养？他们的责任如何担当？我们看到的一些孩子厌学、懒惰、平庸，就是因为我们喜欢做"主角"，包办代替孩子的一切，从而让孩子养成依赖、以自我为中心、只知享受、不懂回报的性格。

教育专家说："孩子的问题就是家长的问题。"这句话有一定的道理。我们说，孩子现在和将来出现的问题，大都是父母当"主角"惹的祸。

◎陪孩子长大，我们只是配角

一位心理学家说过这样一句话："我们养育孩子，就是为了他们将来离开我们。"孩子一生的路很长，我们需要陪伴他们长大，而不是替他们长大。在孩子人生的舞台上，我们只能是配角和观众，不能做主角和导演。

那么，我们如何才能做好配角呢？

做配角需要耐心。看到孩子撒了饭、摔了碗、穿衣服慢等，我们要有足够的耐心，让孩子自己去尝试。即使在尝试中做错了事，我们也要耐心地等待孩子学会自己做事，不要怕麻烦。就像那位外国妈妈一样，静静地当观众，而不是急于教孩子如何做。

做配角需要爱心。我们要明白什么才是真正的爱孩子，爱孩子就是让孩子独立自主，自由地成长；爱孩子就是让他们按照自己的意愿去做事；爱孩子就是做观众，在孩子失误和成功后都给予掌声；爱孩子就是忍下心来看孩子在失败中成长。

配角做绿叶，衬托着红花，但绿叶一定要默默地供给红花所需要的养分。然后，慢慢地等待它们结出花苞，一点点展开花瓣，直至绽放最美丽的芳华。

特别提醒：

    如果想让孩子强大，我们就要给他们展示自我的机会。在孩子的人生舞台上，我们不要忘记做"配角"的使命，不替孩子设计他们的未来，不替他们做他们自己的事，给孩子充分的空间和自由。

不和其他孩子横着比，每个孩子都与众不同

在生活中，父母总是惯于寻找、放大孩子的缺点，惯于拿孩子的缺点同其他孩子的优点相比较，常常说别人的孩子怎么样，而自己的孩子，总是"千疮百孔"，一无是处。要拿孩子的今天比昨天，比前天，而不是跟别的孩子比，哪怕发现一点儿微小的进步，也应及时肯定。不应该由于横着比或高标准要求而看着不起眼儿，认为不值得一提，就把点滴进步漠视、忽略过去。应该想到优点是一步步发展的。

——成墨初《不打不骂教孩子 60 招》

"从小我就有个夙敌叫'别人家的孩子'。这个孩子从来不玩游戏，不聊 QQ，不喜欢逛街，天天就知道学习。长得好看，又听话又温顺，回回年级第一，还有个有钱又正儿八经的男/女友。研究生和公务员都考上了，一个月 7000 元工资。会做饭，会做家务，会八门外语。上学在外地一个月只要 400 元生活费还嫌多……"

最近，有一篇"别人家的孩子"的帖子"火"了起来，年轻的网友纷纷跟帖响应"别人家的孩子"。仅在新浪微博上，关于"别人家的孩子"的微博就有近两万条，并且衍生出不同的版本。多数网友都表示自己小时候被父母拿来和"别人家的孩子"比较过，十分痛恨这个无处不在的攀比对象，称"别人家的孩子"是自己的"夙敌"。为什么这样说呢？因为自己从小到大都是被父母"比"着长大的。小时候比的是聪明可爱，上学后比的是成绩，上大学后比的是学校，工作后比的是职业、收入。

这些热捧此帖的网友，大都是生活在"别人家的孩子"阴影下的孩子。他们发出这样巨大的声音，就是在宣泄自己多年来比来比去造成的心灵创伤。

◎了解父母为什么喜欢把自己的孩子同别人家的孩子比

任何一个孩子身上都是有优点和缺点的，我们很多做父母的都喜欢盯着孩子的缺点，放大孩子的缺点。多数父母的心理是希望自己的孩子能够出人头地，各方面都优秀。让孩子通过比较看到自己的不足，能够"知耻而后勇"，以此来激励孩子的竞争意识和进取心。

以上是从我们主观积极的方面考虑的。还有一点我们不得不说，就是我们内心的消极因素，比如虚荣。我们生活在一定的社交圈里，无形中就会有攀比之心，比房、比车、比工作、比收入……其中比孩子是攀比中的"重量级"因素。如果谁家孩子如何如何优秀，做父母的比拥有百八十万还骄傲。因为我们有这样的攀比心理，就会把这种攀比延伸到孩子身上，如果孩子不争气就觉得很丢脸。殊不知，父母在社会生活中的这种焦虑会加重孩子的心理负担。

从心理学角度来讲，喜欢拿自己的孩子与别人家孩子比的父母，一般是因为自我欲求得不到满足所导致的，他们可能对生活、工作、家庭或者目前状况很不满意，从而希望在孩子身上找到自我价值感。最起码，优秀的孩子是自己教育好的结果，也是自身价值的一种体现。

在多种因素的影响下，我们很多做父母的总是在不知不觉中就拿自己家的孩子和别人家的孩子作比较。

◎了解和其他孩子横比的危害

遗憾的是，我们一般不会拿自己家孩子的优点去跟别人家孩子的缺点比，多数情况下都会拿自己家孩子的缺点比其他孩子的优点，甚至夸大自己孩子的缺点，神化其他孩子的优点。这样比较的结果，就会产生一种很奇特的效果：越是比较，我们内心越是痛苦；我们越是痛苦，越会加倍地指责孩子；越是指责孩子，孩子的毛病越是难以消除。仔细看，其实这是一种"负强化"的作用，孩子的缺点在我们反复的关注和提醒下，慢慢"固化"下来，形成了"顽疾"。

还有一种影响孩子一生的危害，横比的结果极大地挫伤了孩子的自尊心、自信心和上进心，使年幼的孩子丧失安全感，他们会认为爸爸妈妈喜欢别人家的孩子，有一种被抛弃的恐慌。这会使孩子一生都生活在自卑和恐惧的阴影里，难以发挥自己的潜能，更不容易享受到成功的喜悦。

横比的危害会诱发竞争和嫉妒。竞争的实质是"零和"游戏，总归有一方输，一方赢，没有永远的赢家。更可怕的是嫉妒会让人不择手段地去达到自己的目的。这样的比较不利于培养孩子健全的人格和道德感。

◎端正态度，认识到孩子之间的差异

世界上没有完全相同的两片树叶，每个孩子的性格和特质都是不同的。我们要认识并接受孩子之间的差异，眼睛不要总盯着孩子的缺点，要看到孩子的优点，可以采用正强化的方法，引导孩子发扬自己的长处，帮助孩子取长补短。我们还要认识到差异不等于差距，孩子之间的差异只是个性形成的开始，这种差异更需要我们去保护。

如何才能做到不横比呢？

和其他孩子比较叫"横比"，和自己本身比较叫"纵比"。我们要改变策略，把"横比"变成"纵比"，让孩子自己和自己比，过去和现在比，现在和将来比。这样的比较会让孩子充满自信和希望，内心充满前进的动力。这是最好的比较。

特别提醒：

　　作为父母，我们一定要尊重孩子的个体差异，经常鼓励孩子，对孩子的每一点进步都及时表扬，强化孩子的优点，这样就会淡化孩子的缺点。我们要学会缓解自己内心的焦虑，不要将这种焦虑转嫁到孩子身上。

让孩子在家庭中充当重要的角色，
会增加孩子的自信心

> 现代日本的父母已经懂得，在家庭中应有意识地分派给孩子一些力所能及或与他年龄相当的劳动任务。例如打扫卫生，负责为花草浇水等。与孩子进行平等的交流，也是培养孩子责任心的一种方式，不但要倾听他的心声、感受，也要同他谈些自己的喜怒哀乐，当然内容应是孩子所能接受的。谈谈如何建设家庭的计划，在孩子大一些后，甚至可以与孩子商讨家庭财政安排。让孩子参与家庭事务，可以与父母彼此分忧。
>
> ——魏东《一定要为孩子做的 56 件事》

"儿子，洗完脚后袜子就泡在盆里，妈妈给你洗！""宝宝，洗澡水放好了，出来洗澡吧！""妞妞，吃完饭你可以跟小朋友到楼下玩，妈妈把地拖了！""儿子，快起床，妈妈把饭做好了，吃了赶紧去上学！"……这样的话我们做父母的恐怕都不陌生，或多或少都对孩子说过。70 后、80 后的父母认为自己小时候吃了不少苦，说什么也要让孩子过上好日子。为此，我们包揽了几乎所有的家务活儿，让孩子过得像"小公主""小王子"一样。

我们来看一个六年级的女孩子亲身经历的事：有一天，家里来了客人，嘉嘉给客人倒水，结果把茶杯打碎了。她给客人切西瓜，又切了手指头。吃饭的时候，她给客人端菜，结果把菜撒在衣服上……一天里经历很多"无能"的事，她觉得自己很没用。晚上，客人走后，她一个人坐在房间里，对自己很失望，她对自己的生活能力完全失去了信心。

我们不得不又提到石家庄台情感密码《我给儿子当孙子》这个节目，我在网上搜索了一下，有人抨击电视台为提高收视率故意编造剧情，但一位网友的回帖很有意义：电视节目都是以提高收视率为主，但是这种现象还是值得反思的，我们家附近就有类似的人家，父亲去世，儿子、儿媳还有孙子都跟着母亲，全家人都靠着母亲的钱生活，儿子、儿媳都不出去工作，还有个小孩子养着……一些"啃老"族为什么找不到工作，是因为他们对能否胜任工作没有一点儿自信心，更不相信自己能担起家庭的责任。他们表现出来的是"啃老"，其实深层的心理原因是对自己的家庭角色没有信心。

◎了解为什么孩子做事没有自信心

孩子的动手能力在两三岁的时候就开始显现出来。当孩子开始有了自我独立意识，他们很想自己动手，不要父母插手自己的事，经常会说"我自己"。这个时期，他们的模仿能力发展得非常快，很喜欢跟在妈妈的身后想帮妈妈做点儿事情。而我们通常认为孩子是故意"捣乱"，想办法把孩子打发走；或者等孩子做得不好，闯了"祸"，我们再训斥孩子一顿，或拿着孩子的"捣乱"行为到处宣扬。孩子是通过做事让自己独立，并培养自己在动手能力上的自信，这是孩子自然发展的规律。我们这样的做法在无形中打击了孩子，孩子这方面的自信就无法建立起来，并且错过了一定的年龄阶段，再培养孩子的这方面的自信就比较难了。

相应的，孩子的内心天生有一种"惰性"，如果孩子动手做事的自信心没有建立起来，惰性就会滋长。这就是有些"啃老族"会找出各种理由不出去工作的原因。另外，在生活能力方面的自信也会影响到孩子

其他方面的自信，"无能"这种意识会影响到孩子的其他方面，比如将来的学习、交往等。

◎让孩子在家庭中充当重要的角色，增加孩子的自信心

让孩子在家庭中充当重要的角色，不仅能锻炼孩子的动手能力，更能增加孩子的自信心。当孩子做了一些力所能及的家务或者充当了重要角色时，他会体验到一种成就感和被重视的感觉，在内心形成"我行""我可以"的意识，这就是相信自己能做事的心理基础和动力。

在马斯洛的"需要层次理论"中，自我实现的需要是最高层次的需要。孩子在做家务、充当重要角色的过程中，找到了自我存在的价值，内心就会得到巨大的满足。这是孩子自信心的源泉。

◎如何引导孩子充当重要角色

可以根据孩子的年龄和身体特点，给孩子分配一些力所能及的家务。比如，三四岁的孩子可以做一些整理报纸、洗碗、洗菜、帮父母拿拖鞋等简单的家务。要注意在让孩子做家务的过程中，尽量不要用命令的口气，而是用轻松活泼的方式让孩子对做事本身感兴趣。如让孩子洗菜，我们可以对孩子说：给西红柿洗个澡，越干净越好。并及时对孩子的工作作出肯定的评价。

可以给孩子封个"官"当当。比如，为了培养孩子与人相处的信心，我们给孩子封个"接待处处长"的官，让他们负责接待客人；为了培养孩子更加细心，也可以给孩子封一个"卫生监督员"的官；或者封个"监察组组长"，监督爸爸吸烟……我们要根据自己家孩子的实际情况，给他们封的"官"既能锻炼孩子的各种能力，又能多方位地培养孩子的自信心。

特别提醒：

当孩子成为家庭中的重要角色，为家里做了事情之后，我们应对孩子表达出真诚的肯定和感谢，让孩子知道自己所做的事情很重要，这样他们会更积极地成为父母的好帮手。更重要的是，孩子的自信心得到了极大的提升。

给予孩子足够的信任，
是孩子自尊自信的源泉

一个人的自信是建立在独立做好一件事情后获得的成就感的基础上的，家长要相信孩子，放手让孩子去做他感兴趣的事情，哪怕这件事情看起来让孩子完成不太可能。如果担心孩子的安全，那么家长要做的是给孩子创造一个安全的环境，让他能够在一个安全的环境下独立做事，而不是阻挠孩子。如果我们不相信孩子，不给孩子机会来独立完成一些事情，纵然有再多的表扬和鼓励，就算你把"你真棒"天天挂在口头上，孩子的自信也是建立不起来的。

——周令瑜《家庭亲子教育：别以为你懂孩子的心》

两岁零十个月的京京开始喜欢自己穿衣服、穿鞋子，妈妈看他笨手笨脚的样子，笑话他："你行吗？"京京不服气，说："我行！"京京好不容易把衣服、鞋子穿好了，妈妈一看，哈哈大笑，原来京京把扣子扣错了，鞋子穿反了。妈妈说："我说你不行吧，你看你都穿成什么样子了？以后还是妈妈帮你吧！"从此，京京再也没有自己穿过衣服、穿过鞋，很多事情都要妈妈帮忙。长大之后的京京在很多方面都不自信，他一直认为自己没有能力，什么都做不好。

3岁的贞贞是一个聪明可爱又漂亮的女孩子，她特别喜欢唱歌跳舞，在父母面前，她无拘无束，经常给爸爸妈妈表演。但在陌生人面前，她却很拘束，经常躲在爸爸妈妈身后，不愿意叫人，如果让她当众表演，她说什么都不愿意，有时甚至用大声哭闹来拒绝。贞贞的妈妈很不理解，爱唱爱跳的贞贞怎么在外人面前这么不自信，不敢大胆地展现自我呢？

很多妈妈都反映自己家的孩子不自信，到底是什么原因造成了孩子的不自信呢？这是我们迫切想得到的答案。

◎了解孩子为什么不自信

自尊自信是一个人将来立足社会的重要能力。自信不是与生俱来的能力，而是在后天成长中慢慢培养起来的。0~3岁正是培养孩子自信力的关键时期。可是，我们却在无形中扼杀了孩子的自信心。

两三岁的孩子正处于探索未知世界、学习独立生活的重要阶段，而我们却对孩子的一切事情大包大揽，生怕孩子受半点儿委屈、遇到丝毫的危险，像老母鸡一样整天把孩子庇护在自己羽翼之下。不信任孩子的做事能力，本该孩子力所能及的事情也不让孩子插手；对于孩子的自我尝试打击、嘲笑，严重挫伤了孩子的独立做事的自信心，影响了孩子正常的身心发展，导致孩子缺乏独立生活的能力、人际交往困难、严重缺少自信、优柔寡断，甚至缺少责任心和道德感。

如果我们总是否定孩子的言行，常常拿自己孩子的缺点同别的孩子比较，或者用过高的标准去要求孩子，就会打击孩子的上进心和积极性，严重挫伤孩子的自尊心和自信心。

一句话，不信任孩子就是不尊重孩子，父母对孩子的不信任，会导致孩子缺乏自尊和自信。

◎给予孩子足够的信任，培养孩子自尊和自信

我们都希望孩子充满自信，在日常生活中，我们经常听到"别动，这个你做不了""停，这个让妈妈来弄"等话语，是我们不经意间流露

出来的不信任让孩子失去了信任自己的机会。一个人的自信是在做好了一件事情获得的成就感之后建立起来的。我们要相信孩子，放手让他们做自己感兴趣的事情。

相信孩子能做力所能及的事，培养孩子自理能力也是给孩子足够的信任。比如，3~4 岁的孩子就可以自己吃饭、穿衣服、穿鞋袜、如厕、饭前便后洗手、收拾玩具等。放手让孩子去做，就能极大地激发孩子的自信心。

给孩子及时恰当的鼓励。比如，在第一个例子中，我们要耐心地等待孩子穿衣服，即使孩子穿错了，我们也要鼓励孩子："没想到你这么小就能自己穿衣服，真了不起！这个扣子这样系就更好看了……"恰当的赞扬和鼓励会强化孩子的行为，激起他们的自信，从而将事情做得更好。

当孩子因为胆怯而犹豫不前的时候，我们要对孩子说"你一定可以，妈妈相信你"，我们只有肯定了孩子的价值和能力，孩子才会调动自身的潜能去做好眼前的事。比如对贞贞这样的孩子，我们就可以采用以下的方法：

少叮嘱，少唠叨。如果我们每天对孩子不放心，怕孩子忘记拿课本、带作业，怕孩子路上不安全，担心孩子和小朋友打架等，叮嘱这叮嘱那；那么结果很明显，越是叮嘱多的孩子，越是丢三落四、忘东忘西、人际交往不好。因为孩子本来有自理的能力，反而是我们的过分的关注和唠叨让他们失去了自信。

在信任中长大的孩子拥有很大的安全感，他们会觉得有股很强大的力量在支撑着自己，使得内心充满力量；他们会发挥自己的潜能，克服生活中的种种困难，直至到达成功的彼岸。因此，我们一定要给孩子信任，让他们拥有完美的自尊和自信。

特别提醒：

    如果担心孩子还小，我们就有必要为他们创造一个安全的环境。当他们在安全的环境下独立做事的时候，我们不要干扰、约束他们，要相信他们能做好。否则，纵使再多的表扬和鼓励，孩子也很难建立起自尊和自信。

要想让孩子尊重他人，父母首先要尊重孩子

日本作家池田大作说过：尊重孩子的人格，孩子便学会尊重他人。尊重孩子的人格尊严，是每个父母的责任。不论孩子的大小，他们都是实实在在的一个人，这就是说父母要尊重孩子的人格，与孩子平等相待，保护孩子的自尊心，用欣赏的眼光，鼓励性的话语去真诚而积极地评价孩子。在家里，父母要从小就把孩子当做独立的社会人来养育。这样培育出的孩子，走上社会就能够成为独立的社会人，并具有"后生可畏"的劲头。

——成墨初《不打不骂教孩子60招》

3岁的洋洋在和别的小朋友一起玩的时候，经常抢人家的玩具，惹得小朋友哭着向自己的父母告状。洋洋的妈妈经常给人家赔不是。回到家，妈妈告诉洋洋以后不要再抢小朋友的玩具，要什么样的玩具妈妈给他买。可是，妈妈给洋洋买了很多玩具，他还是抢其他小朋友的玩具。洋洋妈妈很苦恼，对于洋洋这样的孩子，该怎么办呢？

3岁半的悦悦跟着妈妈参加一个聚会，在聚会的几个小时里，悦悦一点儿都不让妈妈省心。当妈妈和别人聊天的时候，她不是要果汁就是要冰激凌，妈妈让她等一会儿，她就大喊大叫。参加聚会的一位阿姨对悦悦说："悦悦可乖了，听妈妈的话啊！"结果悦悦扑过去打了那位阿

姨一下，嘴里大声喊着："闭嘴！"气得妈妈当众打了悦悦屁股几下，悦悦更是哭闹起来没完。

孩子一些不尊重别人的行为经常让我们感到苦恼，甚至愤怒。我们在家经常教育孩子出门要有礼貌，家里来了客人要好好接待，可是孩子的表现经常会让我们失望。我们不明白，孩子为什么学不会尊重别人呢？

◎了解孩子为什么不尊重别人

日本作家池田大作说："尊重孩子的人格，孩子便学会尊重他人。"可见，孩子之所以不尊重别人，是我们对孩子的尊重不够。

有些父母可能很纳闷，两三岁的孩子也需要尊重吗？答案是肯定的。马斯洛"需要层次理论"中的第三层便是被尊重的需要，多小的孩子都渴望自己受到尊重。我们尊重孩子，孩子便学会如何去尊重别人。可是，我们做父母的采取的一些方式让孩子感觉不到受尊重，主要表现在以下几方面：

其一，父母居高临下地指挥一切。我们利用"权威"来指挥孩子，不顾他们的意愿，为他们设计人生。比如，你该报什么兴趣班，你要学好英语，你要……这样的指挥完全让孩子感觉不到人格的尊重。

其二，包办代替，过度保护。两三岁的孩子正是开始学习独立的时候，他们喜欢自己的事情自己去做，如果我们担心孩子做不好就代替他们去做，担心孩子安全不允许孩子干这干那，那么孩子的好奇心和探索欲就会受到限制。

其三，经常训斥、惩罚孩子。孩子在进行探索、尝试的时候可能会犯一些错误，训斥、惩罚是最伤害孩子自尊的方式，甚至会给孩子的心灵留下一生的阴影。

孩子不是我们的私有财产，只有我们懂得尊重孩子，孩子才能从我们的示范中学会如何去尊重别人。

◎如何尊重孩子，才能让孩子懂得尊重别人

首先要端正思想，放下自己的"权威"思想和高高在上的架子，改变"我说你听"的教育方式，蹲下身和孩子平等地沟通，让孩子感觉到自己作为一个人应该享有的权利。

要学会和孩子沟通。不要以为孩子是自己的，说话就可以很随意。比如，我们命令孩子帮我们拿报纸，然后一声不响地接过来，边喝茶边看报。我们的态度直接影响着孩子对待他人的态度。因此，在平时与孩子交往中，我们要为孩子示范说话的礼貌，经常说"请""谢谢""对不起"等礼貌用语。

给孩子自己做主的机会。在生活中，我们经常会遇到我们和孩子意见不一致的情况，我们要学会给孩子自己做主的机会。就拿平常的小事来说，比如孩子想穿一件红色衣服去幼儿园，而我们觉得搭配起来不好看。这时候，我们需要给孩子自主选择的机会，让孩子自己去承担选择的后果。他们可能因为小朋友说不好看而改变主意，但我们的尊重会让孩子在与人交往时懂得尊重别人的意见。

尊重孩子的所有权。尊重孩子的所有权就是教孩子懂得尊重别人的物品。上面第一个例子中，洋洋就是不尊重别人的所有权，随意抢夺小朋友的玩具。不要以为我们给孩子买的玩具自己就可以随意支配，其实，送给孩子的东西的所有权都属于孩子，我们要用当然要借，还要经过孩子的允许。比如，我们想用用孩子的画笔，就要对孩子说："宝宝，能把你的画笔借给妈妈用一下吗？"孩子得到了尊重，就会用相同的方式对待别人。

除此之外，我们还要做到不当众揭孩子的短，不当着孩子的面抱怨、议论、嘲笑别人等，我们的做法都是为了给孩子树立一个好榜样。

特别提醒：

　　父母尊重孩子，就是要无条件地接纳孩子，无论孩子乖巧还是淘气，做好还是做坏，我们都要无条件地接纳。学会控制自己的情绪，不要把孩子当做情绪的发泄桶。多抽出时间来陪伴孩子，在安全感的基础上让孩子感觉到尊重。这样，孩子才能懂得如何去尊重别人。

乐于享受孩子给予你的感动和惊喜，
培养孩子的生活热情

> 人要是没有热情是干不成大事业的。
>
> ——文学家 R·W 爱默生
>
> 年年岁岁只在你的额上留下皱纹，但你在生活中如果缺少热情，你的心灵就将布满皱纹了。
>
> ——大诗人 S·乌尔曼

任教十几年，我经常见到有个别孩子不管上课还是下课，整天都无精打采，做事慢吞吞，连走路都抬不起脚来。他们对什么都没有兴趣，不听课，不写作业，不想交朋友，甚至不想上学，可是没办法，父母逼着到学校。同他们谈过心，问他们有什么目标，他们摇头；问他们有什么爱好，他们还是摇头。他们表示，活着真没意思。

这是一些失去了生活热情的孩子，通过抑郁量表的测试，发现他们基本在中度抑郁以上。

抑郁是一种情绪状态，是一种忧愁和伤感的情绪体验。孩子的抑郁一般表现为情绪低落、闷闷不乐、心情悲观、反应迟钝、思维迟缓、失去生活的热情等。他们一般在认识上自我评价比较低，对各种事物都缺乏兴趣。专家研究表明，大约四分之一的人一生中曾有过抑郁。尤其在进入中学之后，由于有些孩子内心具有不安全感和不自信等原因，多会出现抑郁的倾向，有的表现为心境多变、偏激或突然的情绪摇摆；有的表现为反抗行为，常招致爸爸妈妈和老师的反感；也有的表现为易生气、烦躁和不安、逃学、冒险、吸毒，甚至产生自杀的念头……

这些孩子都有一个共同的特点，就是失去了对生活的热情，认为生活和学习没有什么意义。

不只是中学生，有很多小学生，甚至是学龄前儿童也开始出现类似的状况。这不能不令我们担忧，孩子这是怎么了？为什么会出现这样的状况呢？

◎了解孩子为什么没有生活的热情

孩子为什么没有生活的热情，除了孩子本身的原因，我们也要反思一下，是不是我们的教育出了问题呢？答案是肯定的。

我们都有过这样的体验，如果我们做一件事情，一直得不到别人的肯定或者评价，就会觉得越做越没劲，甚至干脆放弃不做了。由于3岁左右的孩子心智发育还不成熟，他们对自己的评价几乎是完全依靠外界。如果我们肯定了孩子的做法，就会对他们的这个行为起到正强化的作用，孩子会热情地去做很多与这个行为有关的事。比如孩子在我们下班之后帮我们拿了拖鞋，他会用眼睛看着我们，等着我们的表扬。如果我们表扬了孩子，他们不但会帮我们拿拖鞋，下次还会帮我们倒水等。如果我们什么表示都没有，孩子的心理需求得不到满足，那么他们的热情就会渐渐淡下去。长此以往，孩子就不会再帮我们做事。很多情况都是类似的，反思一下，是不是我们忽视了孩子的感受，没有对孩子的某些感动的行为及时作出回应和肯定呢？

了解了这些情况，我们应该作出哪些改变呢？

◎乐于享受孩子给予我们的感动和惊喜，培养孩子的生活热情

心理学家曾说过，缺乏热情，就很难做出伟大的事情。热情，对于

大多数孩子来说都是天生就有的，通俗点儿说，这是生命的活力。但是热情也是很脆弱的，要想让孩子继续保持下去很不容易，它需要我们不断地保护孩子的生活热情，千万不能随意伤害它。

我们要有孩子般的心。当孩子独自做了一件比较难的事情，我们一定要"大惊小怪"，表现出孩子般的天真和惊奇。比如，孩子第一次把积木搭成了一座大城堡，我们就要非常惊讶地对孩子说："哇！孩子，你真了不起，能搭出这么大的城堡，我真为你感到骄傲！"孩子就会被我们的热情所感染，继续投入到探索和实践中去。

我们要有一颗感恩的心。当孩子做了一件让我们感动的事，我们一定要表达出我们的感谢。比如，我们生病了，孩子为我们端水、拿药，我们就要对孩子说"谢谢"。孩子就会感到自己做的事情让妈妈感动，自己对于妈妈很重要，以后他们就会怀着极大的热情做出更多让我们感动的事。

我们要学会示弱。我们示弱，孩子就会强大。当我们带孩子去超市，孩子走累了让我们背，我们就可以告诉孩子："妈妈很累，腰疼得厉害，你能帮妈妈捶捶吗？"孩子一定不会再让我们背他走，甚至帮我们捶完背，还会帮我们拿几件小东西。再如，如果爸爸出差，我们就对孩子说："儿子，爸爸出差了，不能保护妈妈了，你能保护妈妈吗？"这样，孩子为我们做事的热情就会被我们源源不断地激发出来，他们就会变得越来越强大。

特别提醒：

孩子的热情是一个很脆弱的东西，需要我们小心地呵护，用一些技巧去激发出来。快乐地享受孩子带给我们的感动和惊喜吧！你会发现我们的孩子对生活充满热情，对前途充满希望。

孩子应担的责任要让他去承担，
让孩子知道这是一种美德

责任心能够让孩子的人生更加的充实、美好。但丁说过："一个人的责任心常常能填补他在智慧上的缺陷，而智慧永远填补不了责任心上的缺陷。"对于一个没有责任心的孩子来说，人生、命运都是非常渺茫，无从把握的。所以父母必须要让孩子明白自己的责任，否则孩子很难具备超强的能力，换言之，即使孩子具备了超强的能力，也很少能获得成功。

——郑小兰《责任教育：勇于承担的孩子最优秀》

日本著名学者高桥敷先生在《丑陋的日本人》一书中描述了亲身经历的一件事。

高桥敷在秘鲁讲学时，与一对美国夫妇做邻居。一天，那对美国夫妇的 12 岁儿子踢的足球，把高桥敷家的门玻璃打碎了。

第二天，"肇事"男孩买了一块玻璃，独自一人到高桥敷家认错，并请求原谅。高桥敷见孩子既诚恳又有礼貌，就留孩子吃了一顿饭，并送给他一包糖果。可是，第三天，美国夫妇领着孩子上门还了糖果。高桥敷十分不解，美国夫妇认真地告诉高桥敷，他们很感谢他的好意，但当一个人犯了错误时，不能受到任何奖励。他们还说，买玻璃的钱是男孩子自己的零花钱。即使不够，父母也不会代他赔偿，可以先借给他，然后通过打零工挣钱还给父母。之所以这样做，是让他从小就要懂得为自己的言行切实负起责任来，这是一种美德，为将来独立地承担人生的责任和义务，顺利地进入社会生活打好基础。

写出这个案例，我又想起我看到的这样一件事：

爸爸妈妈带着两岁零九个月的均均在公园的草地上玩。均均高兴地在草地上撒欢，突然一不小心，摔倒在草地上，均均大哭起来。

爸爸和妈妈赶紧跑过来，妈妈心疼地抱起均均，一边哄一边用力拍打着草地："都怪草地不好！"身边的爸爸也这样哄孩子："明天爸爸给你买把好枪，谁绊倒咱们就拿枪打他。"孩子终于破涕为笑了。

多年之后，青春期的均均成了一个厌学、爱抱怨、爱推卸责任的孩子。

◎了解为什么有些中国孩子爱推卸责任

孩子喜欢逃避责任，主要有两种原因：

一是因为我们过度保护，过分包办。就如上面均均的例子，父母对孩子过度保护，为了安慰孩子，责怪草地。在生活中，我们总会为孩子犯下的错找各种借口，比如孩子小，不懂事，或为了哄孩子随意就把责任推到其他人或自己身上。时间久了，孩子做了错事就会觉得若无其事，长大之后，就会学会犯了错误死不承认，推卸责任。

二是家庭信任和爱的基础薄弱。也就是说，父母过于严厉，对孩子要求严格，非打即骂，如果犯了错就会受到很严厉的处罚。这样做的结果会让孩子产生"如果我承担了责任，后果就会不堪设想"的想法，时间长了，就会形成畸形的人生观和价值观。药家鑫杀人案就是因为推卸责任产生的恶果。

◎孩子应担的责任要让他去承担，让孩子知道这是一种美德

让孩子学会承担责任，我们就要学习上面例子中美国夫妇的做法，

让孩子独自去承担责任，并在恰当的时间告诉孩子："能承担责任是一种美德。"不要像均均的爸爸妈妈一样，用谎言为孩子开脱。当孩子无意间犯了错，我们就应该启发和引导孩子认识并改正自己的错误，或者认识到自身有哪些不足，让孩子对错误有一个清楚的认识并及时进行补救。在这样的过程中，孩子会认识到出现问题之后应该先从自身找原因，而不是推卸责任。

我们也可以在平时给孩子讲一些关于责任的名人故事，让孩子在故事中领悟到承担责任是一种美德，引领孩子的心灵向积极的方向发展。

我们要培养孩子的责任感就要让他们从小事做起，让孩子觉得，收拾自己的玩具、打扫房间、洗碗等是他们应该做的事。如果孩子有赖床、拖拉的习惯，起床、洗脸、吃饭等一系列的事情我们不要去催，我们要告诉他们，这是你自己的事，能做好是应该的，做不好就要自己承担责任和后果。

培养孩子独立做事的能力和勇于承担的品质，是我们做父母的责任。我们还要培养孩子的社会责任感。比如带孩子出去，看到清洁工人，告诉孩子清洁工人清扫垃圾很不容易，要尊重别人的劳动果实，让孩子自觉养成把垃圾放进垃圾箱的好习惯。让孩子懂得尊重别人的劳动，懂得珍惜，并告诉孩子："这是一种美德。"

特别提醒：

对于3岁左右的孩子，我们要根据他们的年龄特点安排一些任务让他们去做，比如独自去楼下的小卖部买东西，或者养一个小动物，都可以培养孩子的责任感。但一定要注意，孩子把事情搞砸了不要责骂，要先肯定孩子有责任心的表现，然后心平气和地帮他们分析原因，找到自身的问题，让孩子找到如何能做得更好的办法。

犯错和失败不是无能，
保护孩子勇于尝试的勇气

父母要给孩子一切可以尝试的机会，让孩子大胆尝试，并允许他在尝试中犯错误来获得经验。失败了，他可能会失望；但如果不去尝试，那么他注定要失败。只有去尝试，才知道自己能做什么。同时也能够理解，做任何事都是需要付出的，其中也包括体验失败和挫折。父母在鼓励孩子大胆尝试的时候要注意，把焦点放在尝试的过程和孩子付出的努力上，不要过分强求一个完美的结果。

——童世军《狼教育》

祥祥是一个好奇心非常强的 3 岁男孩。有一天吃饭的时候，他不小心把一个碗摔到地上，幸运的是，碗没有破。爸爸一看，教训他："还不老实点儿，下次再把碗摔碎了看我不揍你！"祥祥听了爸爸的教训没有说话，但他心里产生了很大的好奇心：碗摔碎了是什么样子呢？于是，有一天趁妈妈不注意，他把一个瓷碗使劲儿往地上摔。结果可想而知，他知道自己犯了"错误"，面对满地的瓷碗碎片，他吓得哇哇大哭。

前两天，一位同事给我讲述了她女儿的事。她 3 岁的女儿要学画画，她便陪着女儿去报了兴趣班。开始的时候，女儿因为年龄小、动作慢，手的准确性也不高，所以画的画很不好看。我这位同事看着着急，就拿过孩子的画笔帮她画。这下可不得了，以后女儿遇到难画的地方自已就不动笔，说着急画得不好，让妈妈替她画。现在学了半年多的画画，女儿连一幅自己完整的作品都没画出来。我这位同事很着急，向我求助怎么才能让孩子敢于尝试。

很多父母都有这样的苦恼，孩子很胆小，不敢做事，更没有尝试的勇气，这是为什么呢？

◎了解孩子为什么不敢去尝试

两三岁的孩子初步形成了自我意识，并开始尝试独立活动，孩子尝试的结果能够更好地形成并发展独立自主的性格。这样的心理在三四岁的时候发展得最为强烈，孩子特别愿意独立做事，哪怕遭到父母的反对，他们依然会用"我要""我就""我不"来表达自己的意愿。

因为是第一次尝试，孩子难免会犯错误，如果这时候我们生怕孩子做不好、犯错误，于是限制孩子的行为或者替孩子去做，就会挫伤孩子自主活动、自我探索、自我服务的积极性。不知不觉中，孩子就会慢慢失去尝试的勇气，不敢独立去做任何事情，逐渐形成依赖、胆怯的性格。如果到了12岁以后，我们再抱怨孩子懒惰、依赖、没有主动性、没能力，再想培养孩子的自立的能力，恐怕为时已晚了。

◎端正态度，不要认为错误和失败就是无能

我们经常见到一些大人因为自己的一次失败而委靡不振，就是因为在他们小时候，父母在对他们的教育中灌输了"错误和失败就是无能"的观念，使得他们处处追求完美，不允许自己失败，一旦失败就会自卑，甚至自暴自弃。

我们要明确，孩子是在错误中成长的。孩子犯错误的过程，正是孩子在错误中不断修正自己、不断完善、不断积累经验的过程。如果我们担心孩子犯错而限制孩子的尝试，或者为了防止孩子少犯错误而过早地把自己的"经验"传授给孩子，表面上看孩子走了捷径，其实是剥夺了

孩子在实践中获取宝贵经验的机会，反而是害了孩子。

◎如何保护孩子敢于尝试的勇气

我在网上见到过这样一个小故事：一位中国留学生到老师家中做客，无意中看见老师刚上学的孩子拿着一把钥匙，笨拙地试着插进锁孔中，想打开卧室的门，可怎么也插不进去。于是想主动过去帮他一下，却被老师阻止。老师说，让他自己犯些"错误"吧，琢磨一会儿总能把门打开，这样他就不会忘记这门是怎样打开的了！果然，那孩子折腾了一会儿，终于如愿以偿。

让孩子经历些错误，可以很好地保护孩子敢于尝试的勇气。孩子的错误大概有两种，一种是我们必须立刻纠正的，比如说脏话、乱丢垃圾、打架等；另一种是孩子能够自行纠正的，主要是孩子在学习生活技能过程中所犯的错。这类错误我们要给孩子尝试的机会，让他们在错误中学习新技能，体验到成功感，更让他们敢于尝试，敢于创新。

在第一个例子中，孩子明知犯了错误却哇哇大哭，我们可以这样做：让他自己去清扫碎片，并告诉他瓷器和玻璃制品易碎的常识，学会自觉保护这些东西。如果孩子在一次错误中能学到很多知识，一个瓷碗的价值就被扩大了很多倍。

在第二个例子中，我们建议妈妈要有足够的耐心，让孩子自己去画，有进步了就及时给予鼓励和表扬，这样就会不断地激发孩子的上进心，让孩子不怕失败，敢于尝试。

特别提醒：

错误和失败也是一种财富，尤其是对于3岁左右的孩子，他们会在错误中不断完善和修正自己，通过尝试不同的方式学到正确解决问题的办法。必要的时候我们要为孩子排除一些危险，让他们在确保安全的情况下"犯错"。

绝不强迫孩子盲从，
打破对孩子的粗暴和专制

> 我的严格绝不是强迫孩子盲从，因为一个只会盲从的人永远是无能的懦夫。可以这样说，我对儿子的严格完全取决于道理。有时候，在孩子的教育问题上，严格和专制是很难区分的，一味地专制或苛刻的要求必然会对孩子造成伤害。但是，如果注重讲道理，以理服人，无论什么样的条件孩子都会乐于接受。
>
> ——卡特·威尔《卡特·威尔的教育》

卡特·威尔在《卡特·威尔的教育》一书中曾经讲述过这样一个故事：

有个孩子非常喜欢一只家里喂的羊，他时常独自一个人牵着羊去山坡上玩耍，每当他看到心爱的羊吃着山上的嫩草时就感到非常愉快。在孩子幼小的心灵中，那只羊是他最好的朋友，他把自己听来的故事和幻想都讲给羊听。他觉得和羊一起在山坡上晒太阳是最幸福的事。

可是有一天，孩子躺在山坡的阳光下睡着了，他做的梦都是和羊在一起的情景。当他醒来时却发现羊不见了。这只羊从来都不会走远，但今天确实是不见了。孩子焦急地找遍了整个山坡，仍然没有找到。他哭了，因为他害怕永远再也见不到这个最心爱的伙伴。

天快黑了，他赶紧跑回家。他想把这件事告诉父亲，请他来帮助找

回羊。没有想到，他得到的是一顿暴打。当父亲听说羊不见之后，什么情况都没有问就举起了手中的棍子。无情的棍子打得孩子鼻青脸肿，额头被打破出血。

"我只有这只羊，不把它找到就永远别回来……"说完，父亲就把他推出了门外。

孩子难过极了。

他独自在黑暗的山坡上奔跑。他越跑越想不通，父亲为什么会打他呢？他又不是故意弄丢了羊。"羊不见了，我也很难过啊！""为了羊，父亲叫我永远不要回去，难道我还不如一只羊吗？"

不久，孩子看见远处有个小白点。当他走近时，他看见了那只羊。它正在悠闲地吃着草呢。

这时，受到粗暴对待的孩子一反常态，他没有像往常那样去抱起这只羊，而是举起了一块大石头。

"就因为你……因为你，父亲才会这样对待我……"孩子一边哭，一边将石头向羊身上砸去。

第二天，人们在山坡的一块岩石后发现了那只早已死去的羊。而那孩子也永远没有再回家。

我们可以想象，那个孩子心里当时有多么的痛，他亲手杀死了自己最心爱的伙伴。

父母的粗暴和专制在孩子身上留下的阴影将永远不可磨灭，这种阴影会让一个本来善良的孩子变成凶残的魔鬼。

◎了解父母的粗暴专制对孩子的影响

"不打不成才""棍棒底下出孝子"，这样的封建教育思想如今依然在很多父母的观念中占主导地位。当孩子做错了事情，或者没有达到自己要求的时候，就开始火冒三丈，大发雷霆，轻则训斥一顿，重则面壁、打骂、罚跪，甚至被赶出家门……

我们如此粗暴地对待孩子，不管什么个性的孩子的心灵都会受到极大的伤害，如果是个性温顺软弱的孩子，会屈从父母，慢慢变得胆怯、自卑、懦弱、内心敏感、盲从；而如果是个性较强的孩子，就会对父母产生对立情绪，用各种各样的反叛行为回应父母。父母的粗暴打骂，不仅达不到教育的目的，更会让孩子形成说谎、孤僻、仇视、冷漠、攻击、抑郁等心理问题，甚至有些孩子会在日后走上犯罪的道路。上面的例子就是最好的证明。

瑞士洛桑大学研究人员说，他们的最新研究显示，过分严厉的专制式教育会扼杀儿童的创造力，导致他们学业失败。学习成绩优秀的学生往往和家长关系良好，甚至参与家庭事务的决策；学习差的学生则几乎都是在管教严厉的家庭中成长起来的，而且家长的教育方式较为粗暴。研究表明，一个自己观点得不到重视的孩子往往会去效仿别人，形成盲从的习惯，或认为自己缺乏判断力、无法做出正确的事情。久而久之，这样的孩子便会失去自信心和创造力。

◎如何避免粗暴专制的对待孩子

首先我们要明确一个观念，孩子是不可能不犯错的，他们是在错误中不断成长的。如果让孩子完全服从我们的意愿，没有自己的思想，那么，我们培养出来的就不是一个完整的人，而是一个傀儡。

我们要平衡自己的心态，控制冲动情绪。当孩子做了一些我们不能接受的事情时，我们不要在冲动之下做出打骂孩子的举动，而是先给自己几秒钟时间，在心里默数三位或五位数，让自己先冷静下来再作决定。也可以离开现场，做几次深呼吸，让自己紧张的神经放松下来，这样就不会粗暴地对待孩子了。当然，前提是我们认识到粗暴对待孩子的方式是不对的，是我们需要改正的。

要时时反省自己的教育方式。我们要养成"一日三省吾身"的习惯，即使有些时候我们对待孩子的做法有些过火，但通过反思我们认识到自己的错误，就要及时向孩子道歉，化解误会，修补亲子关系。

特别提醒：

　　值得注意的是，父母的粗暴、专制，不仅会给孩子造成心理上的创伤，更可怕的是孩子会从父母那里学到这样的应对方式，它带来的影响不只是一个家庭，甚至是一个家族。

孩子的个性要慢慢发掘、
慢慢培养，不要急于一时

有的父母只以自己的期望值来评价孩子，这对孩子的个性及孩子的成长都没有好处。在这样的教育下，孩子容易失去自信。不管什么时候都要相信孩子的个性，相信孩子的成长，慢慢地、切实地培养你的孩子。父母在为孩子订下目标之前，要参考孩子的兴趣慢慢培养。孩子的兴趣、爱好经常会在生活、玩乐中显露出来。

——沧浪《文明"慢养"才能育"大器"》

豪豪的妈妈最近很是苦恼，因为两岁半的豪豪太任性了。他想要什么东西就得立刻得到，不然就拼命地哭，还在地上打滚不起来。豪豪妈妈担心，豪豪这样的个性，将来可怎么办呢？

不只豪豪妈妈有这样的担忧，连博士妈妈也一样拿孩子没办法。

可可的妈妈是一个博士，无论在学问还是工作方面都做得很出色。可是，她被自己的宝贝女儿可可搞得头都大了。

两岁多的可可，喜欢自顾自地玩耍，在她玩的时候，不管大人和她说什么她都不答应。

可可妈妈很着急，担心孩子这样的个性会对以后的发展不利。再出现这种情况的时候，她就会走过去拿开孩子手里的东西，严肃地对她说："大人和你说话一定要答应。"可可对妈妈的话毫不在乎，只是用

大哭表示自己的不满，事后依然如故。

可可妈妈不死心，一次次地想把可可从玩耍中拉出来，教导她如何回答大人的话。可是，每次除了惹得孩子大哭，一点儿进展也没有。

孩子都有不同的个性，很多父母都希望自己的孩子乖巧一点儿、听话一点儿、开朗一点儿，对孩子的淘气、任性、发脾气、固执、无理取闹等不良个性总是很担忧，希望孩子能变得像自己期望的一样。但是，我们却发现一个怪现象：越是着急地想让孩子改掉"坏"的性格，孩子的这种性格越是难以"撼动"，甚至会"变本加厉"。为什么会这样呢？我们首先要了解孩子的个性特点。

◎了解孩子的个性特点

心理遗传学认为，孩子的性格一半来自遗传，这包括直系亲属的DNA遗传以及血型遗传；一半则来自后天发展，包括孩子所处的生活环境、家庭氛围、教养方式，甚至包括居住条件和饮食习惯。并且随着孩子的慢慢长大，在社会生活中接触的范围扩大，他的性格趋向社会性，受环境的影响加深，成长道路中各种错综复杂的外界因素都会影响其性格的形成。事实上，在人的一生中，其性格都有变化和被重塑的可能。这也就是我们经常说的性格既有稳定性，又有可变性的特征。

个性没有好坏之分，这和孩子的气质类型有很大关系。心理学家认为，无论哪种气质类型，无论气质维度上的哪种表现水平，都具有积极和消极的两面性。孩子的气质根本没有好坏之别。只要放对位置，哪种个性的孩子都会发挥其最大的潜能。

因此，基于孩子性格的可变性，我们不要及早对孩子的个性下结论，要结合孩子的认知方式慢慢发掘，慢慢培养。

◎孩子的个性为什么要慢慢发掘，慢慢培养

既然了解了性格的形成和发展过程，我们就应该清楚，我们急于想

改变孩子个性的做法其实是"揠苗助长"。我们在不知不觉中扮演了那个"揠苗"的人的角色，总是急切地希望孩子能快速成为好性格的人。抱有这种心理的父母常常会按照自己的喜好，强迫孩子向"既定"的方向发展，孩子稍有反抗，父母就会着急担忧。殊不知，我们的态度也在影响着孩子的个性形成。

孩子的个性培养要遵循孩子在各阶段不同的认知方式。瑞士的著名儿童心理学家皮亚杰认为：个体从出生到成熟大致要经历四个认知发展阶段，认知结构在与环境的相互作用中不断重新建构，只有前一个发展阶段的认知方式形成以后才会顺利进入下一个更高级的发展阶段，否则就会影响后续的发展任务。因此，我们不能用成人的思维方式去要求孩子"快快成长"。

◎如何慢慢发掘、慢慢培养孩子的个性

我们要理解呵护孩子的个性，因势利导，逐步让孩子养成健康的、积极向上的生活态度。我们要和孩子建立起平等、民主、信任的亲子关系，在轻松和谐的气氛中，孩子的个性就会朝着良性的方向发展。

我们要尊重孩子不同的成长和认知规律。比如上面的例子中，可可还没有发展到理解人际交往的互动概念，她正处于开始认识世界的关键期，专注于眼前的事物，属于个人游戏阶段，这是培养孩子专注力的关键期。而可可妈妈没有认识到这一点，武断地打断孩子，对孩子日后形成良好的注意力是非常不利的。我们只有认识到孩子的这个特点，才不会干涉孩子，主观认为孩子个性不好。

教育是一种慢的艺术，是一种细活、慢活，不能急功近利，应该从自然规律出发。这就需要用耐心、爱心、平常心对待孩子不同的个性，细心观察、发掘孩子个性中的积极因素，不断发扬光大，帮助孩子慢慢驶向成功的彼岸。

特别提醒：

　　对于3岁左右的孩子，我们切记不要给孩子贴上"笨""淘气""捣乱"之类的标签，尊重孩子内在的成长密码，尊重孩子之间的差异，不能消灭孩子"坏"个性，应该因势利导，慢养孩子。

--CHAPTER 07--

管好他自己，
自我管理的萌芽期

3 SUI DUI LE YI BEI ZI JIU DUI LE

对孩子越苛求，你会越失望

> 大部分家庭的孩子其实是发育正常、普普通通的，作为家长应成为孩子的朋友，不应苛求孩子成为那凤毛麟角的 1%，首先应让孩子成人，然后成才，让孩子快乐地生活才是最重要的教子真谛。
>
> ——吴文菊《不要苛求孩子成为 1%：与孩子一起解决成长过程中的 12 道难题》

一次，一位妈妈向我倾诉，她说："我因为没赶上好时代，没考上大学，自从女儿出生以后，我就发誓要让她上名牌大学，把她培养成出类拔萃的人。在她很小的时候，我就给她读《弟子规》；还给她买了钢琴，让她练钢琴；请了舞蹈老师，让她练形体；为培养她的自理能力，女儿刚刚学习走路摔倒了，我也不扶起她，任凭她坐在地上哭，我要锻炼她靠自己的力量爬起来；到她会说话的时候，我就教她读古诗，唱儿歌；孩子上学了，我要求她每次考试都必须考第一名，要求她参加各项活动，最低也要拿二等奖……我不能让孩子一开始就输在起跑线上。可是，结果太让我伤心了，我为女儿付出了这么多，她不但没赢，反而输得很惨，现在连学也不想上了，整天窝在家里，连门也不出……这孩子，太让我失望了！这孩子到底是怎么回事呢？难道是我的教育出了问题吗？"

◎孩子为什么会越来越让父母失望呢

原因很简单。是母亲过高的期望和要求，"苛刻"的教育让孩子觉得母亲的要求难以达到，产生了逆反和抵抗，她用自暴自弃来报复母亲对自己的苛求。

著名心理学家马斯洛认为，人有求知和审美的需要。由此来看，学习和审美是让人快乐的事情，也是人与生俱来的能力。可是，当外在压力过于强大的时候，孩子学习上进的能量就会被压抑，直至消失。诚然，我们每位做父母的都希望自己的孩子能成为优秀的人，孩子身上寄予了我们未完成的理想。我们对孩子期望过高，太多苛求，就会忽视孩子自身的成长规律。成长期的孩子好奇心强，他们喜欢尝试新的事物，但他们同时又是敏感脆弱的，害怕失败的打击。我们给孩子订的目标太高，要求她每次考试都考第一名，这样的目标暗示，就是在告诉孩子：只许成功，不许失败。惧怕失败的心理就会把失败的后果放大很多倍，在恐惧感的驱使下，孩子自然会选择逃避做这件事来避免遭遇失败的打击。长久下去，孩子就会封闭自己，成为一个厌学，甚至可能厌世的人。孩子也就会越来越让我们失望了。

◎应该正确看待孩子的成长

父母对孩子"恨铁不成钢"，希望孩子能替自己完成心愿，为自己来争面子。凡事都要求孩子做到完美，稍不如父母的意就大加训责，这就使得心智还没有发育成熟的孩子无所适从，思想上和心灵上受到压抑和束缚，时间长了，孩子就会我行我素，甚至走向反面。所以，我们要切忌苛求孩子，正确对待孩子的成长，尊重孩子，尊重孩子的成长规律，抓住孩子学习的敏感期，让孩子主动投入到学习上来。例如，2~3岁是儿童语言发展的关键期和敏感期，我们要有意识地培养孩子说话，结合动作和孩子说话。比如抱孩子去睡觉，我们就可以同时说："我们

现在去睡觉了"；想让孩子学画画，就要等孩子在审美敏感期培养孩子的兴趣。

◎不苛求孩子，让他成为自己

中国有句古话："三岁看大。"其科学依据是因为婴儿的脑部细胞的整个缠结过程70%~80%在3岁前完成。其中婴儿生活的环境对孩子身体和他心理功能的发生发展会产生重要的影响。因此，我们要为孩子创设一个和谐自由的家庭环境，让孩子在爱中自主地成长，让他成为他自己，为将来的成才打下坚实的基础。

举例来说，如果孩子想搭积木，我们却认为画画的活动更高雅，前途也更大，硬是把纸和画笔摆在孩子面前让他画画，还告诉孩子："你搭积木不好，没出息，你要练习画画。"孩子想吃个冰激凌，你会告诉他："那是垃圾食品，不可以吃。"我们按照我们的意愿和想法左右着孩子的生活，这等于告诉孩子："你不能成为你，你要成为爸爸妈妈的影子。"我们通常打着爱的旗号，要求孩子要做这个，不要做那个。当孩子长大一点时，我们就要求他独立，可是孩子已经失去独立的能力。我们就会很愤怒："这孩子怎么这么没主见，依赖性这么强？"我们忘了，是我们亲手把孩子塑造成这样的！

所以，我们要让孩子成为他自己，给孩子足够的爱和尊重，宽容和自由，降低我们的要求，让他们按照自己的成长规律自由地成长成为他自己。

特别提醒：

苛求是求不来好孩子的。所以，不要苛求孩子，让他按照自己的成长轨道自由地成长，我们只要给予他们爱和尊重，他们就会用大部分的精力来做他自己，将大部分注意力放在自我创造和自我实现上。

少用命令，多用指导

> 父母经常用命令的口气对孩子说话，叫孩子做事，会使孩子产生逆反心理，很难收到预期的教育效果。而一直在命令中做事的孩子，会缺乏主动性，容易形成懦弱的性格，不利于孩子的成长。
>
> ——苏联教育家巴班斯基

前几天，我吃过晚饭在公园里遛弯。这时候，一对夫妇带着孩子，一家三口走过来。小男孩3岁左右的光景，不知道他看到了什么，突然挣开爸爸妈妈的手向小河边跑去。妈妈喊："别跑了，看把你摔着！"爸爸在后面大声命令："站住！你给我回来！"小家伙像没听见一样，跑得更快了。

下面这个场景恐怕我们每个做父母的都看到过，经历过。

晚上8点半，琪琪还坐在地板上玩他的玩具，他一点儿都不困，经常性的一幕开始上演了。妈妈说："琪琪，快9点了，别玩了，你快洗澡睡觉去。"

"不嘛！我不要睡觉，我还要玩一会儿。"琪琪嘴里说着，手也没停下来。

大约又过去了10分钟，妈妈又说："琪琪，又玩了一会儿了，很晚了，赶快收拾玩具，洗澡睡觉去！"

琪琪磨磨蹭蹭的不愿动。妈妈起来，一边帮他收拾玩具，一边命令他："我警告你！李元琪，你再磨蹭，我就对你不客气了！"

琪琪嘟起嘴不高兴了。

这两个熟悉的场景不知在我们的家庭中上演过多少次，每一次都是相同的结局——父母和孩子都生气。

◎为什么孩子不服从我们的命令呢

孩子是一个独立的个体，虽然年龄小，但他们却有着强烈的自尊心。他们从内心里希望父母能够平等地对待自己，他们从父母对待自己的态度中来感知父母的爱和自己在父母心中的位置。他们很不愿意听到父母命令自己，更不喜欢被强硬地被迫停止自己喜欢做的事情。当父母命令自己做事或者停止做事的时候，他们心中就会产生强烈的反抗情绪，进而可能迸发激烈的反抗行为。尤其是处于第一反抗期的孩子，他们会用哭闹、踢打、撕咬等方式表达他们的不满和反抗。

我们做父母的可能以为有权利命令孩子，而面对慢慢长大，已经具有自主意识的孩子来说，父母的命令口气严重伤害了孩子的自尊和独立意识，认为父母不尊重自己，从而影响了亲子关系。

蒙台梭利认为，儿童同成人的命令斗争到底的精神也叫意志力，儿童一旦有了心理问题，他就没办法与成人抗争了。如果我们长期使用命令的口气同孩子交流，只会压抑孩子的自主意识，使他们形成自卑怯懦、毫无主见的性格，即使成年后，他们也会对父母的话言听计从，会严重影响自己的人生质量。

◎对待孩子，我们要有耐心和平常心

没有一个人对权威会有亲密感，即使在表面上服从，内心也是抗拒的。在孩子面前，我们不仅是权威，更是地位平等的朋友。我们应该抛弃权威至上的观念，放下权威的架子，以一颗平常心对待孩子。当孩子做事或者犯错的时候，我们要站在孩子的角度思考问题，设身处地地理解孩子，不拿成人的标准来要求孩子，理解孩子的年龄特点，尊重孩子的成长规律。这样，我们才能不高高在上地命令孩子。

对待孩子要耐心。要理解孩子处于快速成长期，他们有极强的好奇心和求知欲，有时他们会对手里的玩具产生一种痴迷，我们需要尊重理解孩子，并且需要很大的耐心去陪伴他；不可以用命令随意打断孩子，不然，很难让孩子养成专注的好习惯。即使孩子做错了，我们也需要以极大的耐心，态度平和地指出孩子的错误，这样，孩子才乐于接受我们的批评和建议。

◎ 少用命令的口气，多给予指导

"我这是最后一次警告你！这是最后一次！"

如果我们听到这样的话内心会有什么感受呢？愤懑？痛苦？郁闷？或者兼而有之。孩子的心灵更是敏感脆弱，他们会有更加复杂的感受，只是他不能用语言表达出来罢了，他们会用动作来反抗，用哭声来宣泄情绪。可是最终，我们爱的初衷丝毫没有起到效果。比如，我们想制止孩子的危险动作，经过一番较量之后，孩子会记住哪些是安全的、可以动，哪些是危险的、不可以动吗？

我们要切记，少用命令的口气同孩子说话。尤其是"你给我听着！""住手！""住口！""别乱动！""快点儿"等一类具有警告、讽刺、责备意味的话。我们要站在孩子的角度指导他，比如，可以说："宝宝，咱们快点儿好吗？不然上幼儿园就要迟到了。"再比如，晚上要孩子睡觉之前，我们可以这样提醒孩子："宝宝，你可以再玩 5 分钟，5 分钟之后，要去洗澡睡觉。"先让孩子做好心理准备，孩子在接受我们指导建议的时候就不会抗拒了。

特别提醒：

　　3 岁左右的孩子正处于第一反抗期，他们已经有了开始自我管理的萌芽，对于父母命令的话，他们有极强的反抗情绪和行为。所以，我们要少命令，多商量、指导，帮助他们建立起良好的自我管理能力。

制定规矩必须要结合孩子的能力

> 当我们把羁绊孩子的人为事物，以及自以为是用来教导孩子规矩的暴力放置一旁时，我们就会看见孩子崭新的一面。
>
> ——蒙台梭利

对于老师来说，最头疼的莫过于所教的孩子在课堂上说说笑笑、串桌打逗、扰乱课堂；对于父母来说，最挠头的就是孩子不听话、不乖、不懂礼貌。我们想，要是孩子都能安安静静地听课，乖乖地听话那该多好啊！

一天，一位母亲在网上向我咨询，说她的女儿现在 3 岁半，乖巧、懂事、腼腆，从不和大人顶嘴。到别人家里去玩，人家给东西想吃也不要，要看大人的脸色才敢要。她很担心孩子以后会变得不自信、胆小、不成熟。

真是调皮好动的孩子让人烦心，乖巧的孩子也让人担心啊！

我们也经常听说或见过这样的孩子，在家是爸爸妈妈的乖孩子，在学校是老师公认的好学生，他们身上几乎没有不良习惯，学习成绩很优异，或者是中等。总之，他们在周围圈子里的口碑非常好。可是，突然有一天，我们听到，这个孩子干出了一件让所有人都瞠目结舌的事情。比如药家鑫撞人杀人事件。

类似这样的事情有很多，这样的孩子不能不叫我们扼腕叹息：我们的孩子怎么啦？我们天天教孩子懂规矩、守纪律，难道我们这样教是错的吗？

◎为什么守规矩的孩子反而会出现这样的表现呢

因为我们在制定规矩的时候忽视了孩子能力的培养。孩子年龄小，他们会很机械地遵守规则，而不懂得变通。而我们在制定规则的时候，没有考虑到孩子的成长规律和心理承受能力。比如，两岁多的孩子已经有了自我意识，他们会说"这个是我的""我的不让你吃"之类的话，如果这时候妈妈非要让他把玩具或吃的与小朋友分享，他们会迫于大人的压力或想得到大人的表扬不得已让出自己的东西，这时候他们与人分享的能力还不具备，他们会把无法处理的不良情绪压在心底。等到该具备这个能力的时候，这种能力早已消失不见。随着孩子慢慢长大，他们已经习惯性地不表达自己的反抗，等到心底的不良情绪越积越多，内心难以承受的时候，他们就可能做出令人震惊的事情来。与此类似，孩子很多能力的消失与我们当初制定规则有一定的关系。

其实，孩子本身是具有规则的，也天生具备自我管理能力，只是我们要明白规矩和能力之间的关系，只有找准切合点，才能把孩子培养成高情商、高能力、高智商的优秀人才。

◎理清制定规则和能力培养之间的关系

我们要消除思想上的误解。可能有很多父母以为，给孩子制定规则是不是会限制孩子的创造力，束缚孩子的行为，使他们变得谨小慎微。其实，孩子本身具有自我管理的能力，我们给孩子订立的规矩是让孩子认识到哪些事情可以做，哪些事情不可以做，其实也是在培养孩子自我保护的能力。当然，孩子也会因为自我控制力不强或者好奇心重而破坏规矩，但这不要紧，我们可以给孩子一些时间和空间，让规矩慢慢内化为他们自觉的行为。当孩子明白了自己行动的底线和规则，他们心中就会有很大的安全感，会小心地把自己的行为控制在规矩以内。在规矩的保护下，孩子的各种能力就会被逐渐培养起来。

我们一定要明白孩子成长的关键期，根据关键期孩子的特点来制定一些规矩。我很反对一些家长盲目制定规则的方式，完全不顾孩子成长期的特点，这样做的结果要么培养出一个"不定时炸弹"，要么培养出一个平平庸庸的孩子。

◎要把制定规矩和能力培养结合起来

3岁的孩子，已经有了自我管理的萌芽。在这里，我们谈一些具体的方法，和大家一起探讨如何将制定规则与能力培养相结合。

鼓励孩子做得好的行为。很多孩子有早上赖床的习惯，3岁的茜茜也不例外，妈妈就在她房间里贴上一张自制的日历表，告诉茜茜："要是哪天不赖床，就在那天日期下面盖上一个红心。"慢慢地，茜茜改掉了赖床的习惯，她的自我管理能力越来越强，有时还能叫爸爸妈妈叫床呢。

和孩子一起解决伙伴之间的矛盾。小鹏在楼下和小伙伴玩，在一个健身器械上两个人争执起来。爸爸对他们两个说："现在的问题是，只有一个健身器，你们两个都要玩，想想该怎么办？"最后，小鹏愿意等小伙伴玩过之后再玩。爸爸在帮助孩子解决问题的时候培养了小鹏的忍耐力，提高了他的人际交往的能力。

给孩子选择的机会。3岁半的莎莎早上起来怎么也不穿妈妈给准备好的白色衬衣，原来她到了审美敏感期，现在她钟爱红色，非要穿红色的大衣，可是天气已经很暖和了，穿大衣很热。妈妈说明了原因后，对莎莎说："除了红色，你看看还有什么颜色和你的黑皮鞋搭配起来很好看？"莎莎停止了吵闹，挑出一套她喜欢的衣服。妈妈在无形中锻炼了莎莎的审美能力。

鼓励孩子说出自己的感受。妈妈不让滔滔吃冰激凌滔滔就发脾气，冲妈妈扔玩具，爸爸说："滔滔，妈妈不让你吃冰激凌，你就向妈妈扔玩具。咱们家有个规矩，你要不高兴了就用嘴巴说'妈妈不让我吃冰激凌，我很生气'。"爸爸引导滔滔说出自己的感受，不仅让滔滔懂得了规则，还锻炼了他的情绪感知能力和语言表达能力。

特别提醒：

　　孩子需要很长时间才能学会自我管理，才能控制好自己的行为，遵守规矩。父母需要极大的耐心，切忌训斥孩子"不长记性"，或用威逼利诱的方法让孩子服从规矩，而在制定规矩的时候不要忘了培养孩子各方面的能力。

建立基本是非观，
培养孩子辨别真伪善恶的能力

孩子既不能受清规戒律的束缚，也不应受到权威的压抑。受到权威的压抑，孩子的辨别真伪善恶的能力就会萎缩。如果没有辨别能力，也就谈不上有独特见解和首创精神。不仅如此，它还会形成孩子病态地接受暗示的心理。久而久之，在权威压抑环境中成长的孩子，他们在精神上就会产生种种缺陷。所以说，为了培养孩子的辨别能力，不论在教育中还是在行为指导上，都不许用不准反驳的权威去压抑他们。

我从卡尔很小的时候就去培养他辨别真伪善恶的能力。因为如果没有这种能力，知识将会显得苍白无力。

——卡尔·威特《卡尔·威特的教育》

国内知名情感作家介末在《广州日报》上发表一篇文章，名为《3岁的是非观》，文中提到 3 岁侄子的事：

入园后的某天，我问这孩子："你觉得老师都对吗？有没有做错的地方？"他想了想说："有。我发脾气扔东西，她来管我，我不听；她见管不了，干脆就不管了，假装没看见。"我听了感叹，原来一个人 3 岁的时候，对于是和非的判定标准并非完全基于自身利益。倒是长大之后，常以自己方便为"是"，以欲望受阻为"非"，不像大人倒像小人。

又某日，该孩子父母在卧室大吵——这么说其实不太准确，准确的说法是孩子妈将孩子爸骂得狗血喷头，骂到爽处大叫："我要杀了你！"此时只见该孩子抓起一把水果刀，低着大胖头，抿着嘴，表情严肃、跌跌撞撞地跑向卧室，问他意欲何为，他头也不回地答："我要修理修理她。""修理谁？""我妈！""为什么？""她欺人太甚。"

呵，路见不平拔刀相助啊！

该事件最后的结果是孩子被强悍的母亲空手夺下刀之后狠狠教训了一顿，孩子行侠仗义受挫，只能泪流满面地趴在沙发上啜泣。

3岁孩子的是非观经常让我们哭笑不得，那么，他们为什么会有如此的表现呢？

◎了解孩子为什么辨别真伪美丑的能力差

我们教育孩子的传统观念是培养"乖孩子""好孩子"，评价的标准往往就是是否"听话"。这种"听话"教育，就是暗示孩子父母、老师等大人们说的话都是对的，都要听。这样就模糊了事情的是非界限，孩子会按大人的标准去认定事情的对与错，这就弱化了孩子的独立思考和自主辨别判断能力。

可见，在孩子的大脑里输入是非观和道德观，就相当于为奔腾的河水竖起一道拦河大坝，就会让孩子心清如水、心静如镜。

◎及时为孩子建立是非观，提高孩子辨别真伪的能力

作为父母，我们应该在孩子两三岁的时候就把是非观念灌输给孩子。有意识地启发引导孩子思考和探究人和事的对错、美丑、好坏、善恶，让孩子知道什么事情该做，什么事情不该做。正确的是非观是孩子做事的内驱力，它会引导孩子这件事做不做由自己作决定，该做的努力去做，不该做的坚决不去做，而不是在做事情之前看别人的脸色，别人说好就是好，别人说不好就认为不好，毫无主见，人云亦云。这样，我

们的孩子在长大之后，才能更加理性地为自己而活，而不是内心空虚，迷信盲从。

比如，和孩子一起去公园玩，孩子会跑到草坪上去，如果我们这样说："别去踩草坪，快出来！"孩子就会以为是爸爸妈妈不让踩。而孩子有与大人对抗的意志力，他会告诉自己：不让我踩，我偏要踩。即使他当时被我们叫回来，以后只要我们稍不注意，或者长大以后，一有机会他就有可能去破坏。因为在他心中，没有建立起正确的是非观，不知道自己做的事情是好的还是不好的。甚至于，他做一些破坏的事情只是为了挑战权威，而没有考虑该不该做。我们就可以对孩子说："小草会被踩疼的，宝贝，快出来。"或者告诉孩子："小草把这里打扮得多漂亮啊，叔叔伯伯种这些花草很辛苦，我们不能把小草踩坏了。"这样，我们对孩子讲了不能踩草坪的理由，激发了孩子的善良之心，就帮助孩子建立了正确的是非观。孩子就会想："小草有生命，我不能踩。"或者"踩坏了小草，对不起叔叔伯伯的辛苦。"

特别提醒：

孩子的心灵是一张白纸，当这张白纸还没有被沾染的时候，我们应该及时地为孩子画上绿树、红花、太阳、月亮……让孩子懂得什么是美丑善恶，帮助他们建立基本的是非观和价值观，那一定会让我们的孩子受益终生。

事情做错了，必然有后果

> 大部分的孩子都有很强的好奇心，因此，他们有时不能够预见自己行为的后果，当他们想往哪里跑或者想碰一下什么东西的时候，他们就凭着本能行动……孩子做了错事，要让他明白自己的过失是要付出代价的，让他自己承担错事的后果，他才能接受这个宝贵的人生教训。
>
> ——张芷华《31个坏习惯毁了孩子的大未来》

在一个家庭教育QQ群里，爸爸妈妈们正在讨论孩子的问题。

一位妈妈说自己的儿子平时出了什么差错都不想是自己的问题，总是一味地抱怨责怪别人。妈妈心里很着急，孩子怎么这么没责任感呢？

另一位妈妈说，女儿很懒，遇到一点儿问题就喊父母帮忙，自己一点儿也不愿意动手。

一位爸爸很是气愤，他说，自己家的孩子经常表现出一副满不在乎的样子，做错了事情也不承认，还总是找借口。

另一位爸爸还叙述了这样一件事。上周他被幼儿园老师请到学校，处理儿子和别人打架的事。这是他第5次被老师"请"了。儿子下课后与同学因为一件小事产生矛盾，发生了小摩擦，因为儿子身材高大，一下就把同学推倒，同学的头碰到桌角上……到了学校，他又赔笑脸，又道歉，陪对方孩子到医院做检查，承担了全部医药费，还给人家买了很多营养品。最后，这位爸爸说："我就不明白，儿子怎么就不体谅体谅他老爸，总是屡教不改呢!"

◎了解孩子为什么这么不负责任，总是屡教不改

很简单，这是因为我们做父母的替他们承担了做错事的后果。这样做的结果，不仅让孩子失去了责任心，更让他们永远不会反省自己的错误，而是一而再、再而三地犯同样的错误。

我们都知道，一个行为会产生一个结果，孩子没有体验到他所犯错误的"结果"，心里就不会有触动，就不会清楚地认识到自己的错误有多大，他们甚至不能辨别自己的行为是错误的。一个上小学二年级的孩子，因为打碎了玻璃被老师批评，一生气，放学后他把一层楼上的玻璃全砸了。老师来制止他，他还理直气壮地说："我爸有的是钱，我赔还不行吗?"从上幼儿园起，这个孩子每次犯错都是他爸爸拿钱摆平，从而让他产生这样的思想认识。

两三岁的孩子心智发育还不成熟，他们经常会犯一些小错误。爸爸妈妈在教育孩子的时候，往往比较心疼孩子，不管出现什么样的后果都愿意替孩子去承担，或者怕孩子惹出麻烦，就包办代替孩子做事。爸爸妈妈这种做法虽然是出于"爱"，但却阻碍了孩子的正常成长，不但孩子解决问题的能力得不到锻炼，更让孩子养成了逃避责任、满不在乎、做事不计后果的坏习惯。

当然，我们的处事方式也直接影响着孩子。孩子从一出生就在爸爸妈妈的影响下，如果我们做事冲动、学会推卸责任，孩子也将是有类似性格的人。

◎让孩子自己承担做错事的后果

由上面的分析，我们得出一个结论：我们不要替孩子承担后果，要

让孩子自己承担做错事的后果，才能避免孩子屡教不改，形成恶习，培养出有责任心、明理懂事的好孩子。

我想起前文中著名学者高桥敷在《丑陋的日本人》中描述过男孩砸玻璃的事。

那是一个很好的例子，它教会我们应该如何让孩子学会承担做错事的后果。孩子在承担后果的过程中就会体会到许多后果是自己造成的，时间长了，孩子就会逐渐形成正确的是非观，在做事之前，也会习惯性地进行思考后再做出行动。

对于两三岁的孩子，我们也要从小让他们体验后果。两三岁的孩子做事通常会以"我喜欢"为标准，而不是以"我能不能做"为标准，我们要提前告知孩子做错事的行为后果。比如，孩子不好好吃饭，我们就要收起家里的零食，告诉孩子："现在你不好好吃饭，要到晚上才有饭吃。"然后任凭孩子怎么哭闹，我们一定要坚持我们的决定。几次之后，孩子自然就会慢慢地从挨饿中吸取教训，好好吃饭了。

特别提醒：

两三岁的孩子在心理上已经具备了一定的承受能力，适当地让孩子承担一些责任和自己做错事导致的后果，对他们的成长是有利的。虽然如此，但一定要以安全为前提，如果对孩子有危险的后果，我们一定坚持不要让孩子去承担。最后要告诉孩子一句话：这次做错了不要紧，重要的是下次别再错！

行为有偏差，一定要纠正

孩子没有问题，如果孩子有问题，那一定是父母的问题。

——萨提亚

每一位妈妈都希望自己的孩子成为身心健康、行为正常的孩子。可是，我们慢慢发现，孩子的行为出现了偏差。

张女士发现，自己 3 岁的儿子畅畅开始学会说谎了。因为张女士出差，周六才回来。回到家张女士问儿子："今天和爸爸在做什么呀？"儿子告诉张女士："今天去了幼儿园，老师教画画。"周六不用上幼儿园，可见儿子在说谎。儿子为了让张女士高兴，就编了谎话。张女士非常着急，孩子的行为怎么越来越偏差了呢？

有很多和张女士有类似疑问的父母曾经向我求助，现在，我把一些孩子行为偏差的特征表现给大家出示一下：

根据著名心理学家萨提亚的观点，孩子的行为偏差可分为四类：寻求注意、寻找权力、报复和自暴自弃。

寻求注意：小孩出现破坏、捣蛋、大哭大闹或做出偏激行为。

寻找权力：它的表现如发脾气、顶撞、欺骗、倔犟、不服从、欺凌弱小、懒惰等。

报复：它的表现如伤害他人、偷窃、尿床、攻击、不信任和轻视。

孩子表现出的这种情况父母大多会觉得非常痛苦。

自暴自弃：因为自暴自弃的孩子常常表现得愚蠢、退缩、被动、拒绝与人交往、自我刺激，如手淫等。这样的状况常会让父母感到很失望。

◎了解孩子为什么会有偏差行为

美国著名家庭治疗师维吉尼亚·萨提亚曾经说过：孩子没有问题，如果孩子有问题，那一定是父母的问题。孩子出现偏差行为，要从父母身上找原因。我们逐条来分析：

一些两三岁的孩子容易出现搞破坏、捣乱、大声哭闹的状况，大部分情况下是由于我们没有给孩子足够的注意力，孩子感觉不到父母的关注和爱，就用搞破坏、哭闹等方法来引起父母的注意，哪怕是父母的呵斥，小孩子也会觉得：只要我一哭闹，父母就会过来关注我，我就不会孤单。

如果3岁左右的孩子出现大发脾气、顶撞老师、欺骗父母、欺负弱小同伴、懒惰的状况时，我们就要考虑是不是父母包办代替的比较多。因为3岁孩子的自我意识已经很明显，渴望拥有一定的决定权，如果我们认为孩子小，什么事情都替他们作决定，他们就会在自己内心需求得不到满足的时候出现上述的偏差行为。

3岁的孩子已经有一定的控制能力，不会再尿床，如果孩子出现频繁尿床、伤害攻击别人、偷拿别人东西、不信任别人的状况，有可能是因为我们对孩子的感情伤害得比较深，对孩子的管教比较严厉，家庭关系冷漠，使得孩子内心压抑而表现出的一种行为偏差。

3岁左右的孩子会很主动地学习、交往，如果孩子表现得愚蠢、被动、拒绝与人交往，行为退缩，可能是因为父母对孩子的期望过高，让孩子感觉自己没有能力达到父母的期望，索性自暴自弃。

◎对待有偏差行为的孩子要有足够的耐心和爱心

当我们的孩子出现了一些偏差行为，我们就要反思自己，根据我们提供的资料查看自己在教育孩子的问题上有哪些失误和不足，然后和孩子一起做好改变的准备。只有父母改变了，孩子才会改变。

我们不要斥责、打骂孩子，更不要不闻不问，给孩子足够的时间和空间，足够的耐心和爱心，让孩子感觉到家的温暖。

爱，永远是最好的疗伤药。

◎探究如何纠正孩子的偏差行为

对于爱哭闹的孩子，我们有一个很好的办法：让他哭，直到他觉得用哭闹的方法不能引起父母的关注为止。不然，孩子如果用这样的办法能满足他的注意，他为什么不屡屡拿来用呢？这样的情况下，我们不要理他，等他哭停了再去安慰他。对于捣乱也一样，我们不过度关注，孩子就会停止捣乱的行为。

我们不要吝啬赞美的言辞。孩子的很多偏差行为，很多时候是由于我们不注意自己的语言给孩子造成了很大伤害。所以，我们要用赞美的言辞强化孩子的正面行为。赞美、肯定、鼓励的话能帮助孩子提升自信，一旦孩子有了足够的自信心，他们就会有能力约束自己的行为。赞美的时候要真心诚意，当孩子有了好的行为，我们要用具体的言语赞美他们，我们要对孩子说："今天宝宝自己穿衣服，起床很快，真好！"或者说"妈妈很高兴看到宝宝把自己的玩具给小朋友玩。"赞美的话不用多，简洁一些，孩子听了会很开心的。当然，赞美的时候要及时，当我们看到孩子的正面行为时，就尽快给予赞美。如果拖久了就会影响孩子持续这种行为的欲望和动机。

特别提醒：

　　3 岁左右的孩子正处于第一反抗期，我们要仔细区分孩子的行为是自我意识的表现还是有偏差，然后再给予不同的对待。但不要过分强化孩子的偏差行为，大惊小怪、逢人便讲只会加大孩子的心理压力，使他更难以改变。

冲动是魔鬼，引导孩子调节自己的情绪

> 培养孩子健康的心理比培养孩子健康的身体更重要，孩子只有具备了健康的心理，才能挑战未来，走向成功。
>
> ——布鲁尔·卡特

三四岁的孩子一般有很强的好奇心，他们对什么东西都有想碰一下的欲望，他们凭着自己的本能东奔西跑，因为不能预见自己的行为结果，他们经常会遭遇一些挫折和打击。

一位妈妈在网上向我求助，她说，她的孩子现在两岁零 10 个月了，不知道为什么脾气越来越大，经常表现得很冲动，喜欢抢别人手里的东西玩，抢不到就动手打人家。要怎样才能控制他的冲动，让他不要那么喜欢抢东西、打架，怎么能让他把脾气改好？

幼儿的喜怒哀乐是真实的，他们往往直接支配着自己的行为，在大人眼中一件芝麻绿豆大小的事，常常会引起他们强烈的情绪波动，他们可能会不顾一切地去实施他们的行动。尤其是三四岁的男孩，他们会采取撕扯、踢打，甚至咬人的暴力手段攻击别人，不但造成了他人的困扰，也会影响自己的人际关系。

其实，孩子很冲动地做完一件不该做的事情之后，通常会有深深的内疚感，他们也非常害怕、后悔，但是，当类似的事件再次发生的时

候，他们依然不能控制自己的情绪。

◎了解孩子的情绪为什么这么容易冲动

从生理角度讲，三四岁的孩子，神经系统的兴奋过程和抑制过程已经有了很大发展，但兴奋的过程仍然占有很大的优势。一旦遭遇外界刺激，很容易引起神经系统的兴奋，从而引起行为上的兴奋，他们无法约束自己，就产生了冲动行为。

幼儿时期的孩子已经具有一定的情绪调节能力，但他们的情感是不稳定的，表达情绪的方式也很简单。喜怒哀乐转换非常快，遇到喜欢的就高兴，遇到不喜欢的就不高兴，他们的情绪控制能力发展还不完善。

有些孩子在家庭中经常遭受父母的斥责、打骂，或者受父母暴戾性格的影响，形成暴躁的性格，因而容易出现冲动行为。

孩子在成长过程中，学会管理自己的情绪至关重要，它将决定着孩子的一生的幸福与否。

◎引导孩子认识、表达情绪

情绪本身并没有好坏之分，只是情绪支配下的行为会有好坏之分。我们要帮助孩子认识自己的情绪、表达出自己的情绪，这是帮助孩子管理好自己情绪的第一步。

让孩子知道自己当时是什么心情，并表达出来，才能发现为什么会有这样的心情，从而更好地调节好自己的情绪。当我们生气的时候，可以这样说："我很生气，我看到你把房间弄得很乱，我气得想把你这些玩具都扔出去。"当孩子因为一件事情生气的时候，我们也可以对他说："你很生气，你因为小伙伴抢你的玩具，你很气愤，对吗？"当孩子感觉到他被理解后，情绪就会舒缓一半。

我们这样说的目的，就是为孩子做出榜样，引导孩子认识并表达出自己的情绪，这是引导孩子调节情绪的关键步骤。

◎教孩子疏导不良情绪

当孩子生气发飙的时候，我们千万不要斥责、恐吓孩子："你再哭，别怪我揍你！""你再闹，我就把你关到门外！"这样的惩罚，或许只能暂时让孩子恐惧，但不能教会孩子如何疏导不良的情绪。孩子只能把愤怒和恐惧压抑起来，有可能造成日后的大爆发，也可能会成为孩子的心结，影响孩子一生的幸福快乐。

我们应该教给孩子调节情绪的技巧。让孩子用语言而不是用肢体表达愤怒。心理学研究证明，语言发展较好的孩子，遭受到的挫折感也比较少，因为他们懂得用语言表达自己的需求，容易得到满足，而且当他们说出自己生气的原因时，不仅发泄了情绪，也能得到别人的理解和安慰。比如4岁的珊珊，因为妈妈生了小弟弟，看到妈妈整天围着小弟弟转，觉得妈妈不爱自己了，她觉得很不公平，她很生气。于是在一天早上她抓起小弟弟的奶瓶狠狠地摔到地上。妈妈跑过来对她说："珊珊，我看到你现在很生气，但是你为什么要摔弟弟的奶瓶，能告诉妈妈吗？"珊珊大声地诉说了自己的委屈和不平。妈妈把她抱在怀里，告诉她："妈妈爱你，弟弟小需要照顾，你不可以摔弟弟的奶瓶。如果你感觉到生气，就过来告诉妈妈，妈妈也非常爱你。"

帮孩子建立自信心。具有自信心的孩子更容易获得快乐的情绪，我们需要用赞美、肯定和鼓励来帮助孩子建立起自信心，提高孩子自我管理情绪的能力。

特别提醒：

父母要为孩子树立良好的榜样，以身作则，要善于调节自己的情绪，给孩子积极的影响。一定要改掉打骂孩子的教育方式，营造一个和谐温馨的家庭氛围，让孩子在爱的环境中健康成长。

诱惑无处不在，
让孩子了解诱惑背后的陷阱

> 　　一个人不应受名誉、金钱和地位的诱惑，去忽视正义和其他德行。
>
> 　　　　　　　　　　　　　　　　　　　　　　——柏拉图

　　前几日，在网络上看到一则新闻：六一儿童节，杭州警方和妇联等单位在吴山广场开展"关爱儿童、反对拐卖"大型咨询宣传活动。

　　昨天，有不少家长带着孩子来到现场，向警方询问在孩子漫长的成长过程中，家长该如何教导孩子注重自身安全。

　　警方列举的一系列注意事项，值得家长好好铭记。

　　"在拐骗幼童案件中，犯罪嫌疑人常用食物或玩具哄骗孩子。比如小汽车、玩具枪、机器人对男孩具有极大的诱惑；毛绒玩具、洋娃娃对女孩会有很大的吸引力。3~5 岁年龄段的孩子，家长要特别教育孩子，拒绝接受陌生人的物品。"

　　生活中的诱惑无处不在，尤其是对三四岁的孩子，除了上述一些犯罪分子用一些小礼物对孩子进行诱惑之外，还有电视广告一些小商品对孩子的诱惑；一些动画片中出现的暴力诱惑；社会上一些不良现象对孩子的诱惑等。当孩子长大之后，还有各种各样的诱惑，导致孩子的品行出现问题。

在一些中小学，甚至大学，经常会出现一些学生作弊的现象。虽然国家和学校对于作弊现象明令禁止并给予很重的处罚，但依然屡禁不止，就是因为这些孩子抵御诱惑的能力很差。

除此以外，还有网络、吸毒、赌博、偷盗……各种诱惑如狼似虎地潜伏在孩子们的周围。

◎了解孩子为什么难以抵御诱惑

一些孩子容易被坏人的礼物所诱惑，首先是因为三四岁的孩子辨别是非的能力和自我控制的能力差。他们往往认为，给自己买东西的人都是可信赖的人。当然，这和我们对孩子的教育也有很大关系。

其次，从感知觉角度考虑，两三岁的孩子很喜欢富有动感的电视画面，他们已经能看懂电视广告上的内容，再加上厂家抓住了儿童心理，对一些适合儿童的商品大加渲染，更能诱发孩子的欲望。

另外，我们从小就教育孩子，和别人竞争，只能赢不能输，这样的教育就会让孩子为了超过别人，采用不正当的竞争——利用作弊来达到目的。这些名利的诱惑会使孩子一步步远离自己的人生目标。

面对生活中很多不良的诱惑，孩子心智不成熟，辨别真伪的能力较弱，安全意识和自我保护意识不强，就会导致难以抵御各种诱惑的现象发生。同时，父母的溺爱也会削弱孩子们辨别和抵御诱惑的能力。

◎让孩子了解诱惑背后的陷阱

诱惑就像是"画皮"一样，漂亮的外表下面是狰狞噬血的厉鬼。我们一定要让孩子了解诱惑背后的陷阱，在他们遭到诱惑之前就打好预防针。

对于两三岁的孩子，我们从他们懂得我们说话开始，就要告诉他们拐卖儿童的方法有哪些，如何防止被坏人拐骗，一定要告诉孩子千万不能接受陌生人的物品，即使再喜欢的东西也不行；不要跟着陌生人

走；要记着爸爸妈妈的电话和家庭住址等。以此来提高孩子的防范和安全意识。

对于现在危害身体健康的食品安全问题，我们可以和孩子一起收看相关的电视节目，或者从网上搜索一些资料，让孩子了解，一些诸如薯条、薯片、饼干、汉堡、炸鸡等垃圾食品对身体的危害，把一些食品安全的概念输入到孩子的大脑里。可能孩子因为年龄小经不住诱惑，但是，我们可以采用不断暗示的方法或逐步递减法让孩子慢慢地接受。

当然，我们要降低我们的期望，不要为了激励孩子学习，让他超越某个同学，其实这样的做法不是良性竞争，最好的竞争是让孩子不断超越自我，完善自我。所以，我们要有意识地让孩子了解过分追求名利可能导致的后果，在激励他的时候要告诉孩子：每天进步一点点。

对于网络、赌博、吸毒、偷窃等方面，我们都要让孩子明白这些诱惑背后的真相，逐步提高孩子的抗诱惑力。

◎培养孩子的抗诱惑力

我们首先要让孩子明白一个道理：人的要求要受客观条件的限制。从小要教育孩子不要盲目攀比、恶性竞争，要根据自己的家庭条件，养成勤俭节约的优良作风。

我们要加强孩子心理素质方面的培养。一般抗诱惑力差的孩子，他们的自主意识和自控能力不足。为此，我们要帮助孩子提高辨别能力，设法控制孩子的占有欲和占有量，提高孩子的忍耐力，可以采用注意力转移的方法将孩子贪玩贪吃的注意力转移到有意义的活动上来。比如，当孩子做了一件有意义的事情，我们最好不要奖励他吃的和玩的，而是一本书、一张图书馆的借书卡、一张博物馆的参观券等，让孩子用开阔的眼界来淡化诱惑的吸引。这样的培养，让孩子即使遇到再大的诱惑也能够抵御得了。

特别提醒：

  面对诱惑，我们不仅要为孩子做好榜样，还要告诉孩子，什么是诱惑，怎样辨别诱惑，让他们了解美丽诱惑背后的陷阱，一步步提高孩子的抗诱惑能力和自我管理能力。

巧妙地延迟满足，有助孩子控制欲望

教育孩子，从小事抓起，孩子的第一个不合理的要求，即使容易满足，也绝不能满足！每一个不合理的要求，都要坚决拒绝，暂时不能满足的合理要求，或可以满足但也可以缓一下的合理要求，也要让孩子学会耐心等待，接受父母的安排。

——东子《玩到 5 岁学啥都不晚》

在一次给幼儿园家长的培训中，最后，让妈妈们反映情况的时候，我收到了很多信息。

一些妈妈反映自己的宝宝性格急躁，想要什么妈妈就得给他，妈妈动作慢一点儿，他就大哭大闹，一点儿耐心都没有。

有些妈妈反映自己家的孩子对什么东西都不懂得珍惜，刚买一个新玩具，玩了没几天就扔到一边，不喜欢了就乱扔乱摔。

一些妈妈反映自己家的孩子做事经常三心二意，有时候说上公园，走到半路不知想起什么就不去了。

有的妈妈说自己家的宝宝特别以自我为中心，和小朋友相处的时候，事事争抢，不顾其他小朋友。

有些妈妈说自己家的宝宝要东西的欲望特别强，跟着大人到超市，看见什么拿什么，如果大人说他，他就坐在地上耍赖不起来。

有些妈妈反映自己家的孩子很脆弱，不能忍受一点儿挫折，在幼儿园里和小朋友一起玩的时候受不得一点儿委屈。

◎ 了解孩子为什么会有如此表现

妈妈们在为宝宝们的表现担忧，都在努力寻找解决孩子这些问题的办法。其实，我们的家庭教育一直处于一种恶性的循环中，给予孩子越多，孩子就越不满足；孩子越不容易满足，我们就给予得更多。我们让孩子陷入"超量满足、超前满足、及时满足"之中，孩子变得越来越没有耐心，不珍惜我们的付出，更加难以控制自己的情绪和欲望。将来，我们的孩子的欲望将会变得越来越大，那时我们又拿什么去满足他们呢？

所以，我们需要"延迟满足"孩子的欲望，才能培养出具有健全人格的孩子。

◎ 了解什么是"延迟满足"

美国心理学家曾经做过这样一个心理实验。

实验人员给每个 4 岁的孩子一颗好吃的软糖，并告诉孩子可以吃糖。但是如果马上吃掉的话，那么只能吃一颗软糖；如果等 20 分钟后再吃的话，就能吃到两颗。然后，实验人员离开，留下孩子和极具诱惑的软糖。实验人员通过单面镜对实验室中的幼儿进行观察，发现：有些孩子只等了一会儿就不耐烦了，迫不及待地吃掉了软糖，是"不等者"；有些孩子却很有耐心，还想出各种办法拖延时间，比如闭上眼睛不看糖、头枕双臂、自言自语、唱歌、讲故事……成功地转移了自己的注意力，顺利等待了 20 分钟后再吃软糖，是"延迟者"。

后来，研究人员在参加实验的孩子到了青少年时期的时候，对他们的家长及教师进行了调查，发现："不等者"在个性方面，更多地显示出孤僻、易固执、易受挫、优柔寡断的倾向；"延迟者"较多地成为适

应性强、具有冒险精神、受人欢迎、自信、独立的少年。两者学业能力的测试结果也显示，"延迟者"比"不等者"在数学和语文成绩上平均高出 20 分。

能够延迟满足的孩子自我控制能力比较强，他们在没有外界压力的情况下能够很好地抑制冲动，控制自己的欲望，调节自己的行为，持之以恒地实现自己的目标。因此，延迟满足是孩子将来走向成功的重要心理素质之一。

◎如何巧妙地使用延迟满足

两三岁的孩子已经开始出现自我意识，他们已经能听懂一些道理，如果我们对他们讲"要等一等"，他们也基本明白"等"的含义。这时候，我们就要有意识地让他多体验，把延迟满足的时间从几分钟延迟到一两天、四五天。

比如，我们带孩子去超市，孩子看到超市里很多好吃的东西，很可能要拿起来立刻吃，我们就可以告诉孩子："宝宝，超市里的东西要妈妈付了钱才能打开吃，你等妈妈付完钱再吃好吗？不然妈妈会被罚钱的。"虽然孩子小，但是只要对孩子讲明道理，孩子就会慢慢变得懂事，学会控制自己的欲望。

如果孩子要去吃肯德基，我们就可以给他提个条件，比如一个月只吃一次，孩子答应之后就可以去，但我们绝对不可以临时变卦，去吃的时候说肯德基是垃圾食品，而改成吃面条或饺子。

如果孩子在喝完热奶之后要吃冰激凌，我们就可以告诉他："喝完奶，你的小肚子已经鼓鼓的了，再吃冰激凌就装不下了。妈妈答应你，再过 1 个小时，一定让宝宝吃，好吗？"这样的说法既保护了孩子的身体，给他一个希望，不至于让孩子感受到妈妈的强硬拒绝，又能控制他们吃的欲望，让他们学会等待。

我们带孩子去小区的健身区玩，孩子要玩秋千，而秋千上已经坐着一个小朋友，我们就可以告诉孩子："等那个小朋友玩够了，不玩了，咱们再去玩，好吗？"我们不可以这样告诉孩子："有人在玩，咱们不等了，去玩别的。"这样就会丧失让孩子学会等待的好机会。

特别提醒：

　　让孩子学会延迟满足，有一点我们要引起注意，我们不要按照我们自己的意志去制约孩子特别喜欢的，这样孩子就会产生逆反心理。对于两三岁的孩子，我们一定要分清合理和不合理的要求，如果是合理的要求，我们要适当满足孩子，不要一概延迟满足。

绝不纵容孩子，不应该得到的一定不要给

> 父母对于子女的教育，过度的严厉会造成恐惧，过分的纵容会有失尊严，不要严酷得使人憎恶，也不要放任得使之胆大妄为。
>
> ——徐娟

很多妈妈发现，孩子到了两三岁，开始变得越来越任性了，如果一件事情不如他们的意，没有按照他们的意愿去做，他们就会任性地大哭大闹。这样的场景你是否也见过？

刚让宝宝睡下，不知什么原因，他就生气地爬起来，跺着床大哭大叫；

孩子洗澡的时候非要玩玩具或用瓶子玩水，说了好几次，就是不听，还把水弄到我们身上；

到了超市，见到什么就要什么，不听大人的劝说，大人说他两句，他就坐在超市的地上打滚；

早晨起来，赖在床上不起来，好不容易穿上衣服，却为吃早餐大闹脾气，不喝牛奶，非要喝豆浆；

……

妈妈看到孩子这样一定非常生气，可通常又没有办法，如果不让他们按照自己的意思做，他们会一直哭闹下去，大部分情况下都是我们让

步，否则孩子"倔脾气"一上来，全家人都不得安宁。妈妈们苦恼地说："我们家孩子，好起来特别乖，闹起来拿他一点儿办法都没有。真是太任性了！"

◎了解孩子为什么会如此任性

孩子的任性是一种不良的性格，一方面是由于孩子在自我意识的支配下的所为，另一方面是和我们的教育方式有关系。两三岁的孩子因为年龄小，心理发展还不成熟，对许多事情缺乏认识和判断能力，常常会提出不合理的要求。我们觉得孩子小，不懂事，就迁就纵容他，他们想要什么就给什么。孩子养成了这样的习惯，他们以为只要自己想要的就能得到，得不到就采用哭闹的方式达到目的。比如上面我们提到的几种情况，都是平时我们对孩子太过纵容，让他们习惯性地认为我要怎么样就怎么样，达不到我的要求我就大哭大闹。

◎父母要端正心态，懂得纵容的危害

其实，我们给孩子自由，不等于让孩子放任自流。我们只满足孩子合理的要求，不能满足他们所有的要求，包括无理要求。而且，在过分溺爱中长大的孩子，会以自我为中心，自私、无礼，不懂得如何与别人合作。另外，孩子学会了用任性的方式来达到自己的目的，他们在长大之后也会用这样的方式与人相处，必然会遭遇很大的挫折和打击。

我们可以满足孩子一时的要求，却不能照顾孩子一辈子，当他的贪欲越来越大之后，会不择手段得利，甚至走入犯罪的深渊。所以，我们要注意：不要应允孩子不停的索求。这样，我们的孩子才不会成为一个自私的暴君。

我们要知道，纵容孩子，不但害了孩子，还会让我们丧失做父母的权利，孩子不仅不懂得感恩和回报，他们还会变得越来越不尊重我们。

所以，我们应该摒弃"孩子还小，他要什么我就给他什么，一些坏

285

毛病大了就自然会改"的思想，不要对孩子过分纵容，不然，孩子一旦养成坏习惯，想改就很难了。

◎孩子不应该得到的就不该给

限制孩子的物质欲望。包括孩子在内，人的物质欲望是无止境的，我们在孩子很小的时候就要控制他们的物质欲望。孩子正当合理的要求，我们应该慷慨满足，让孩子感受到父母的爱。对于不必要、不合理的要求，我们一定要学会说"不"，同时耐心地向孩子解释，让孩子知道不满足其要求的原因。假若孩子哭闹不已，我们就要采取一些措施，比如任他哭闹，不理睬他，让他知道哭闹是解决不了问题的。当无人理睬时，孩子自己会因为感到无趣而停止任性的行为。

我们还可以对孩子进行适当的惩罚。两三岁的孩子，只靠讲道理是不能完全让他们停止任性的，惩罚也是一种有效的教育方式。比如，孩子任性，不喝牛奶，偏要豆浆，我们可以告诉孩子："今天只有牛奶，要喝豆浆只能等到明天。"如果孩子还是哭闹，我们就可以把早餐收起来，不再让他吃。当孩子饿了，我们就要告诉他："肚子饿是早晨不吃饭的结果。"孩子尝到饿的滋味以后就不会挑食闹脾气了。

适当确立家庭规则。每一个家庭都要设立一些家庭规则，比如，规定孩子每天吃糖不能超过两块，一天能看1个小时的电视等。我们可以根据自己家孩子的特点，制订相应的规则。当然规则不能只约束孩子，这些家庭规则需要我们和孩子一起遵守，才能达到应有的效果。

特别提醒：

两三岁的孩子正在学习自我管理，这就需要我们不能无限制地满足孩子的任何要求。合理的要求我们尽力满足，孩子不应该得到的一次都不能给。这是对孩子负责，对孩子的未来负责，也是对我们自己负责。

遇到难题不退缩，
让孩子体验坚持不懈的成就感

经常体验挫折感的孩子往往会丧失自信心，因为害怕再失败，所以对力所能及的事也会产生畏缩退避行为。

——许传利

妈妈们经常为孩子不能坚持做完一件事而苦恼。

一位妈妈说："我家孩子3岁半了，遇到稍微复杂一点儿的事就不愿意做下去了。比如孩子玩拼图，开始挺感兴趣，拼着拼着遇到难题了，就会生气地把拼图扔到一边。孩子不爱动脑筋，也不能坚持到底，我该怎么引导他？"

王森的妈妈说："一次，我家森森开始学写自己的名字，写到下面的两个'水'字他不知道怎么写了，最后他把写名字的纸一撕，哭了起来，再也不肯写了。孩子遇到这样的情况，我该怎么安慰他？"

面对困难，3岁左右的孩子还没有学会转移或者隐藏情绪，他们对于不满意的情况不愿意忍耐，容易出现哭闹等反抗行为，不能坚持到底，比如凌凌每次玩积木不小心弄倒了就不肯再玩了；看故事书遇到不会的字就不往下读了……诸如此类的表现还有很多。如此发展下去，将来在前进的路上，孩子一遇到困难和挫折，就会打退堂鼓，一蹶不振，甚至自暴自弃。在追求自己设定的目标的时候，开始可能有很大劲头，

遇到难题就会提不起精神，缺乏应有的恒心和毅力，而且在行动中容易受外界干扰而改变初衷，使行动半途而废。

◎了解孩子为什么不能坚持不懈

孩子做事爱放弃，要结合孩子的年龄特征来分析。两岁的儿童专注时间最长只有 5 分钟，三四岁的孩子能达到 10 分钟。所以，我们不能性急，不能用大人专注的特点与孩子比较。

坚持度是孩子天生的气质，指的是孩子面对困难的持续力。高坚持度的孩子在遇到难题的时候，多半能坚持下去，他们会努力找到解决问题的办法，直到让自己满意为止；而低坚持度的孩子遇到不会或没有尝试过的事情，他们一般会产生"我不会，我做不到"的想法，很容易放弃，不能坚持完成。

除去这些先天的特质，孩子能否坚持不懈主要取决于孩子是否体验到成功的感觉。如果一个孩子连续好几次搭积木都没有成功，他就会体验到很大的挫败感，这种挫败感就会使他丧失坚持下去的勇气。每个人的内心都有"逃避痛苦，追求快乐"的本能，失败带给孩子的是痛苦的感觉。所以，3 岁左右的孩子心智发育还没有成熟，他们很难用很大的意志力让自己坚持下去，在屡遭失败之后，就会选择逃避退缩。

◎我们要摆正心态，要用足够的耐心

要想让孩子养成坚持不懈的好习惯，学会更好地自我管理，我们首先要摆正自己的心态。我们要接受"生活中难免会遇到困难和挫折""对孩子要学会放手"的观念，不要帮助孩子扫清成长路上的障碍，在孩子遇到难题的时候替他们去解决；要有足够的耐心引导孩子克服困难，这样才不会培养出经不起磕碰的"瓷娃娃"。

我们要切忌对遇到难题的孩子说："你怎么这么没志气，还没做就说不行！""你真没用！""这点儿事都做不好，将来你能干什么！"

"你就不能动动脑子？再不努力，别人都比你强了！"这样的话不但起不到激励孩子的作用，还会严重伤害孩子的自尊心，让孩子更加自卑，有的孩子还可能会产生强烈的逆反心理。

◎ 让孩子体验到坚持不懈的成功感

成功感是促使孩子坚持下去的最好动力。当孩子在面对一项相对于他来说比较困难的任务的时候，我们可以帮助孩子把任务拆开来做，也就是把任务分解成若干个小任务，然后一步步引导孩子完成，每完成一个小步骤带来的成功感觉就会不断地激励孩子进行下一步，直至完成整个任务。比如，3岁左右的孩子正学习自己穿鞋，自己系鞋带。当他把脚完整地伸进鞋子里，抻好鞋子的"舌头"和鞋带，我们就要及时地鼓励他："真棒！你已经完成第一个任务，加油！"然后孩子高兴地开始系鞋带，他会非常认真地做，直到把鞋子都穿好。孩子在完成一个步骤的任务后，获得的成就感就会让他们充满自信，从而能够坚持到底。

在孩子学习一项新的技能时，我们不仅仅要给孩子做示范，还可以和孩子一起比赛。在比赛中我们可以故意输给孩子，让他们体验到初步的成功感，就会让孩子受到激励，坚持做完。比如，三四岁的孩子学下跳棋，对他们来说，这是一项比较难的技能。教给孩子基本的步法，在和他们下棋的时候，我们故意输几盘，让他们体验到成功的感觉，就会激发他们的兴趣和信心。当然，等孩子学得差不多了，我们就要和孩子正常对弈了，以免让他们产生骄傲自负的情绪。

特别提醒：

培养孩子学会自我管理的能力，其中重要的一项就是培养他们持之以恒的意志力。让孩子体验到成功感，这样能够激发孩子的自信，在成就动机的引导下，孩子就会向着成功一步步迈进。

原则面前家长态度坚决一致，不让孩子有空可钻

> 父母在教育孩子的问题上，一定要保持高度的一致，教育孩子前要交流直到取得一致意见，绝不能把分歧暴露在孩子面前。
>
> 父母若是整天在孩子面前剑拔弩张、互相指责，不但不能给孩子提供"稳定的后方，快乐的港湾"，还会给孩子幼小的心理造成难以磨灭的阴影。这样的孩子成才的概率就相对要小得多。
>
> ——唐林海

一天，一位朋友对我讲起她女儿的事。她说："我女儿 3 岁多了，但最近发现孩子成了两面派，在我面前很听话、乖巧，在爸爸面前就很任性……"

我问："你们家是不是一个唱白脸，一个唱红脸？"

"是啊，是啊，我对孩子比较严厉，她爸爸比较惯孩子，我们俩经常为教育孩子的问题吵架。"她着急地说。

"就是因为你们的教育方式不同，孩子才成为这个样子的。"我说。

据有关调查表明，在中国独生子女中，有 60%左右的孩子有不同程度的任性行为。主要表现为：想干什么就干什么，提出的要求不能立刻满足就大声哭闹，无论家长怎么劝说都不管用。不过，我们也通过观察可以了解到，孩子不是在所有家人面前都是任性的。很多孩子在爷爷奶

奶、姥姥姥爷和父母中比较慈爱的一方面前就会表现得很任性，而在父母中比较严厉的一方面前就会很乖，很懂事。我们通常称这样的孩子叫"两面派"。

◎了解孩子为什么会成为"两面派"

孩子之所以会成为"两面派"，和父母对孩子的教育有很大关系。父母对孩子的态度和要求不一致，主要表现为一个严厉、一个宽松，一个管、一个纵，有时候父母还故意在孩子面前一个唱白脸，一个唱红脸，并且还以为这是有效的管理教育方式，这样的方法很容易让孩子形成"两面派"的性格。

父母的态度不一致，常常会就孩子的教育问题出现分歧，甚至发生争吵。虽然我们可以尽量避免在孩子面前争吵，但是在教育的分歧上，两三岁的孩子也是可以感知到的。这种分歧会造成教育的真空，孩子往往很善于从父母的教育分歧中钻空子，比如，在母亲那里受了管教，孩子就跑到父亲那里诉苦；在父亲那里受了罚，就跑到母亲那里去找安慰。另外，孩子能从父母对待他们不同的态度和方式上，感觉到爱与不爱。比如，一个3岁的男孩因为调皮受到爸爸的大声训斥，妈妈安慰孩子说："爸爸也是为你好，爸爸是爱你的。"而这个孩子对妈妈说："爸爸不爱我，妈妈爱我。"父母对孩子态度的不一致，导致孩子对父母也产生不同的看法和态度。这就造就了孩子"两面派"的性格特点。

◎父母要端正思想，统一认识，在原则问题上要保持一致

有的父母的教育思想不一致，不仅很难达到教育的效果，还容易让孩子形成一定的心理障碍。比如，孩子下楼和小朋友玩，回来的时候把玩具给了其他小朋友玩。爸爸赞扬孩子懂得与小朋友分享，很懂事；而妈妈却数落孩子没心眼，瞎大方。然后爸爸和妈妈爆发了激烈的争吵，孩子夹在两个人中间，不知如何是好。我们教育方式的不一致，会使孩

子难以形成清楚统一的价值尺度和评判是非的标准，更难以让孩子形成正确的价值观。没有一个正确信念指导孩子的言行，孩子也将会是一个言行混乱、表里不一的人，他们就会逐渐学会察言观色和投机取巧，这对孩子是极其不公平的，对孩子的未来是极其不利的。

战国时期的思想家韩非子曾经说过这样一句话："一家二贵，事乃无功；夫妻执政，子无适从。"说的就是一个家庭里，父母要是各有所见，互不相让，家里就什么事情也成不了；对子女的教育，如果各自持有不同的意见、观点，子女就不知道听从谁的。这些话是非常有道理的，虽然有一些封建思想的糟粕，但韩非子告诫父母：在子女教育的原则问题上，一定要保持一致。

因为父母各自有着不同的家庭背景，文化水平和性格也不可能一样，因此在对待孩子的教育问题上难免会产生不同的看法。有分歧可以理解，但我们切记不可当着孩子的面争吵，当一方管教孩子的时候，另一方即使有不同意见也要等到管教结束后私下再谈。如果没有原则上的分歧，我们完全可以达成共识、求同存异，尽量做到相互理解、相互商量，共同解决孩子的教育问题。如果真要有原则上的分歧，双方不要坚持己见，应该加强学习或是请教专家，或是到家长学校听课等，把家庭成员之间的不同意见统一在正确科学的基础上。这样，孩子才能在健康和谐的家庭氛围中健康成长。

特别提醒：

如果父母一个唱红脸，一个唱白脸，就很容易让孩子成为"两面派"，在严厉的家长面前，唯唯诺诺，有事情不敢放手去做，自卑胆怯；而在宽容慈爱的家长面前，孩子就会胆大包天，恣意妄行。这样很难让孩子形成正确的人生观和价值观，更难以培养孩子的自我管理能力。所以，父母只有在教育思想上达成共识，在原则问题上态度坚决一致，才不会让孩子有空子可钻。

家长时刻以身作则，
潜移默化中培养孩子的自觉性

> 家长以身作则就要自己先多读书，少看电视，少发脾气，有礼貌，孝顺，不赌博，不抽烟，不说长道短。以身作则不是一件容易的事，但若要把孩子教好，这也是必须要付出代价的。
>
> ——松涛

很多妈妈抱怨孩子太贪玩，一点儿自觉性都没有，每天睡觉前都要缠着讲故事，玩起来什么都不记得，大人叫好多次也不管用。有的孩子在幼儿园上课会突然跑出去；有的孩子因为父母阻止他们玩，会用发脾气、耍赖、撒泼打滚、软磨硬泡、故作可怜的方式达到他们的心愿。

经常有上小学、中学的孩子的父母向我求助，说孩子在学习上没有自觉性，不督促就不学，有时候在屋里写作业，写到晚上10点都写不完，进去看孩子干什么，原来在玩手机游戏或者看网络小说。

前两天浏览网页，看到一则新闻：3岁女童迷上网络偷菜游戏。这样的报道真是让人心痛。是什么原因让一个3岁的孩子迷上网络游戏而不能自拔呢？

◎了解孩子缺乏自觉性的原因

两三岁的孩子刚刚有了自我意识，他们很渴望自我管理，也具备一

定约束自己行为的能力，他们会以父母为榜样学习自我管理。可是，如果3岁多的孩子缺乏自觉性，其主要原因很可能是我们没有给孩子做一个好的榜样。

下面这样的场景恐怕您并不陌生。

女儿在书房翻看着故事书，爸爸妈妈在客厅里津津有味地看电视，电视里传出很大的声响，爸爸妈妈也不时大声地说笑。女儿被电视吸引过去，想看两眼，妈妈一扭头看见，大声呵斥："小孩子不许看电视，看你的书去！"

爸爸在书房里玩电脑游戏正酣，3岁半的儿子跑过来，拉着爸爸往外走："爸爸，你陪我出去玩一会儿吧。"

"宝贝，等爸爸一会儿，等爸爸10分钟，好不好？"爸爸头也没回。

过了一会儿，儿子又来拉爸爸，爸爸说："等爸爸5分钟。"

儿子来了好几次，最后失望地走了。

我们平时没少教训孩子，甚至还给孩子立规矩，可是孩子依然我行我素，不听我们的话，做出一些让我们挠头的事。我们不得不检讨自己，是不是因为我们没有以身作则，才会让孩子缺乏自觉性。我们前面提到的3岁女孩迷上网络游戏，如果不是父母做榜样，孩子又怎么能够从接触到迷恋呢？

◎父母是孩子的镜子

父母是一面镜子，时刻立在孩子面前，父母这面镜子时时为孩子做着示范和表率。大人怎么做，孩子就会跟着怎么做。

有一个广为人知的公益广告，名字叫《妈妈洗脚》，内容是妈妈边为孩子洗脚，边给孩子讲故事。等孩子洗完了，妈妈就去给奶奶洗脚。儿子趴在门边看到了这一幕，等妈妈给奶奶洗完脚回来，看到儿子端着满满一盆水，对她说："妈妈洗脚。"广告中，妈妈用实际行动告诉孩子要孝敬老人。孩子学到了，也做到了。所以，我们要在平时的生活中注意自己的一言一行，以自身良好的言行潜移默化地影响孩子，做孩子人生中的一面好镜子。

◎父母如何时刻以身作则，培养孩子的自觉性

两三岁的孩子具有很强的学习能力，他们会从最亲近的父母身上学习如何做人，如何做事，他们会模仿父母的神态和语气，甚至一些小毛病。我们要时刻注意自己的言行举止，因为我们要想使孩子成为有自觉性的人，我们首先就要成为自觉的人。

比如，我们要想让孩子自觉吃饭、不挑食，我们就不能不吃这，不吃那；我们想让孩子玩完玩具自觉归位，我们就不能随便乱丢东西，用完东西后自觉放到原来的位置；我们想让孩子自觉上幼儿园，不让大人催，我们在家就不要抱怨领导苛刻，不想上班；我们想让孩子养成自觉读书的习惯，我们就要养成读书看报的习惯……

如果我们看到孩子浮躁、贪玩，我们就要从孩子的行为中检查自己的言行是否出了问题。如果我们做错了，为了避免影响到孩子，我们要及时向孩子说句"对不起"，然后改正我们自身的毛病。比如，我们上面提到的在儿子面前打游戏的爸爸，儿子不再听爸爸的话，做事情三心二意，去幼儿园拖拖拉拉，总是说"等一会儿，等一会儿"。那位爸爸后来在妈妈的提醒下，认识到自己的错误，向孩子道了歉，从此再也不迷恋游戏。没过多久，孩子也慢慢变好了。

特别提醒：

希望自己孩子做到的，我们做父母的就应该率先做到。希望孩子能够自觉做事，我们也必须要有自觉性。"勿以恶小而为之，勿以善小而不为"，我们不能忽视生活中的一点点小细节，时刻注意自己的言行，潜移默化地培养孩子的自觉性。